世界一初恋
～横澤隆史の場合～

藤崎　都
中村春菊＝原作

17100

角川ルビー文庫

世界一初恋《セカイイチハツコイ》
～横澤隆史の場合～

Contents

あとがき

口絵・本文イラスト・漫画／中村春菊

1

初恋《はつこい》は叶《かな》わない――そんなこと、始めからわかってた。

自分へと向けられる感情に、恋愛《れんあい》のそれがないことくらい知っていた。隙《すき》を見せてくるのも、甘えてくるのも、自分を『友人』として『信頼《しんらい》』しているから。

それでも未練を断《た》ち切れなかったのは、微《かす》かな希望が残っていたからだ。恋人《こいびと》になれなくてもいい。一番の存在でいられれば充分《じゅうぶん》だった。

ただ、隣《となり》に寄り添《そ》っていられれば、それだけでよかったのに。

雨の音が聞こえる。

まるで自分の苛立《いらだ》ちに共鳴しているかのように、アスファルトを激しく叩《たた》く雨音。今夜の雨はずいぶんと長く降り続いている。けれど、濁流《だくりゅう》となって渦巻《うずま》く雨水では、黒く染まった胸の内を雪《そそ》ぐことはできなかった。

雨宿りのためにふらりと入った居酒屋のテレビで、アナウンサーが大雨警報を知らせているのを聞いた。

雨が止《や》んだら帰るつもりだった。しかし、夕刻から降り出した雨はいつまで経《た》っても収まる気配を見せず、店を出るタイミングを失してしまった。

だが、それは自分への云《い》い訳だったのかもしれない。彼との『記憶《きおく》』の詰《つ》まったあの部屋に、帰りたくなかったというのが本音だったのだろう。

半ば自棄《やけ》になって杯《さかずき》を空け続けていたときはよかったが、そのツケでいまは鳩尾《みぞおち》のあたりが気持ち悪い。あれだけ飲んで、尾《お》を引かないはずがない。頭痛がないだけ、まだマシだ。不快感に眉根《まゆね》を寄せながら無意識に寝返《ねがえ》りを打ち、頬《ほお》に触《ふ》れた感触《かんしょく》に違和感《いわかん》を覚えた。

「ここはどこだ……？」

柔《やわ》らかなスプリングの利《き》いたベッドでおもむろに体を起こした横澤隆史《よこざわたかふみ》は、見たことのない室内の様子に、眉間《みけん》の皺《しわ》を深くした。

自宅でなければ、友人の部屋でもない。いかにもビジネスホテルといった風情《ふぜい》のシンプルな内装だ。しかし、ホテルにチェックインした覚えはない。止まない雨のせいにして、居酒屋に居座り続けていたはずだ。

「……思い出せん」

靄《もや》のかかった脳内を必死に探《さぐ》って何とか思い出せたのは、飲みすぎを心配する店主の言葉くらいだった。まずはこの二日酔《よ》いを抜《ぬ》かなければ、頭も使いものになりそうにない。

これまで、酒に呑《の》まれたことは一度もない。大抵《たいてい》、酔い潰《つぶ》れた誰《だれ》かの世話をするのが、横澤の役目だった。記憶のない朝を迎《むか》えるなんて、想像すらしたことがなかった。

やや乱暴に首を振《ふ》ると、少しだけ意識がはっきりする。重怠《おもだる》い目蓋《まぶた》を指で揉《も》み解《ほぐ》し、何度か瞬《まばた》きを繰《く》り返す。そのとき視界に映った自分の体に違和感のようなものを感じた。

「…………」

脱《ぬ》いだ覚えもないのに、何故《なぜ》か服を着ていなかった。基本的に眠《ねむ》るときに裸《はだか》でいることは、ほとんどない。気になって、そっと上掛《うわが》けを捲《まく》ってみる。

「!?」

下着すら着けていないことがわかり、慌《あわ》てて下半身を隠《かく》す。

酔っ払《ぱら》っているときに、脱ぎ散らかしたのかもしれない。そう思い、室内を見回してみたが、スーツのジャケットどころか、靴下《くつした》の片方すら見当たらなかった。

辛《かろ》うじてトランクスがベッドの下に落ちていたため、手を伸《の》ばして拾う。ベッドの中でそれに足を通し、一息つく。一枚着ているのと着ていないのでは、心許《こころもと》なさが段違《だんち》がいだ。

室内を観察したときに、もう一つ気づいたことがあった。シャワーの音だ。どうやら、夢現《ゆめうつつ》で雨音と錯覚《さっかく》したのは、バスルームから聞こえてくる水音だったらしい。

しかし、問題はそこではない。シャワーの音が聞こえるということは、それを使用している者がいるということだ。集まったキーワードから導き出された答えに、静かに息を呑《の》む。いままで、行きずりの相手とホテルに来たことは一度もない。見知らぬ人間と関係を持つことには抵抗《ていこう》があるほうだ。けれど、昨夜の自分の荒《あ》れ方を考えたら、そのくらい投げやりな気分になっていてもおかしくはなかった。

悶々《もんもん》としていると、不意に水音が止まった。

「……ッ」

息を殺し、バスルームからどんな女性が出てくるのかと覚悟《かくご》を決める。相手がどんなつもりでついてきたのかはわからないが、男である以上、責任はきちんと取るべきだ。

色んなパターンを考え、頭の中でいくつもシミュレーションしていた横澤は、バスルームからバスローブ姿で出てきた『男』の姿に思考が止まった。

「何だ、起きてたのか。二日酔いは大丈夫《だいじょうぶ》か？」

濡《ぬ》れて癖《くせ》の強く出た髪《かみ》を拭《ふ》きながら、何食わぬ顔で話しかけてきたのは、横澤の勤める丸川《まるかわ》書店の看板雑誌ジャプンの編集長、桐嶋禅《きりしまぜん》だった。絶妙《ぜつみょう》のバランスで配置された切れ長の目に、薄《うす》い唇《くちびる》。この整った顔は、寝起《ねお》きでも見間違《みまちが》えようがない。

横澤は真っ白になった頭を無理矢理《むりやり》再起動させ、震《ふる》える声を絞《しぼ》り出す。

「……な、何であんたがここにいるんだ……？」

普段《ふだん》、仕事以外ではろくに会話もしない相手と、お互《たが》い裸同然でホテルの一室にいるという

シチュエーションに頭が追いついていかない。

呆然《ぼうぜん》としている横澤に対し、桐嶋は普段どおりの涼《すず》しい顔をしている。

「何、お前。昨日のこと覚えてないのか？　状況《じょうきょう》見りゃ、だいたいのことはわかるだろ」

「状況って――」

桐嶋の薄い唇から発せられた人を食った物云いには普段なら腹が立つところだが、いまは怒《おこ》っている余裕《よゆう》もない。

これが漫画《まんが》かドラマなら、酔っ払って関係を持ってしまったのが定石だ。しかし、それは登場人物が男女においての定番であって、自分たちは男同士だ。

さすがにそれはありえないと一蹴《いっしゅう》したかったけれど、記憶がない以上、説得力に乏《とぼ》しい。

横澤自身、自分はゲイではないと認識《にんしき》している。だが、これまでずっと片想《かたおも》いをしていた相手は男だ。完全なヘテロの人間よりは同性愛へのハードルは低い。

まずは、昨夜のことを少しでも思い出すことが必須《ひっす》だ。朧気《おぼろげ》な記憶を必死に探り、会社を出る前あたりからの記憶を手繰《たぐ》っていく。

――昨日は人生において、最悪の日だった。

諦《あきら》めきれずに抱《かか》えていた恋《こい》にピリオドを打たれ、やさぐれた気持ちで仕事帰りに居酒屋に立ち寄った。味わうというよりも酔うために呑んだくれていたところ、偶然《ぐうぜん》その店に桐嶋がやってきたことを思い出した。

『桐嶋さんもこんな店に来るんだな』

『雨宿りついでに飯食いに来たんだよ。……お前、ちょっと飲みすぎじゃないのか？』

『んなことねーよ。あんた一人か？　なら、ここ座れって。すいません、これと同じの一つ追加！　あ、やっぱり二つ頼《たの》むわ』

普段なら外で顔を合わせても同席することはほとんどないのだが、人恋《ひとこい》しくなっていたのだろう。何を思ったのか、横澤は桐嶋を無理矢理隣に座らせたのだ。

酔っ払いに逆らっても仕方がないと思ったのか、桐嶋は大人しく腰《こし》を下ろし、くだを巻く横澤につき合ってくれた。

今月の新人のコミックスの売れ行きがよく、重版が追いついていないことへの文句や、調子を崩《くず》し発売日を先送りしている売れっ子への愚痴《ぐち》など、普段は控《ひか》えている不満をぶちまけた記憶はある。しかし、その先はまったく覚えていない。

「何も覚えてないのかよ」

呆《あき》れた物云いに顔を上げると、横澤が考え込んでいる間に、桐嶋は身支度《みじたく》を終えていた。最後の仕上げとばかりに、腕時計《うでどけい》を手首にはめている。

その隙のない姿に、寝起きの乱れた髪に無精髭《ぶしょうひげ》を生やし、裸のままでいる自分が急に恥《は》ずかしくなった。

「あ、あれだけ飲んでたんだから仕方ないだろ」

云い訳を口にすると、桐嶋は思わせぶりな視線を投げ、横澤の口調を真似《まね》て昨夜の発言を揶《や》揄《ゆ》してくる。

「へえ、飲みすぎじゃないのかって訊《き》いたら、そんなことねーよ、酔ってねーつってんだろって云ってたくせに」

「それは……っ」

そのような発言をしたことはうっすらと記憶にあるが、酔っ払いの戯《ざ》れ言で揚《あ》げ足を取るなんて卑怯《ひきょう》だ。しかし、横澤は反論できる立場にはない。

「ま、サラリーマンなら自棄酒したい日もあるよな。絡《から》み酒は傍迷惑《はためいわく》だから、次から重々気をつけろよ」

「あんたに云われなくてもわかってるよ！」

「年長者の忠告は素直《すなお》に頷《うなず》いておけ」

「な……っ、何すんだ!?」

桐嶋は、横澤の頭をがしがしと撫《な》で回してくる。

その手を振り払《はら》おうとした瞬間《しゅんかん》、髪に差し込まれている指の感触に、ふっと蘇《よみがえ》ってきた記憶があった。この手に触れられたのは初めてではない——そう感じたのだ。

人肌《ひとはだ》の記憶があるということは、自分以外の誰かと触れ合った証拠《しょうこ》だ。

認めたくはないが、多分、そういうことだ。横澤は、自ら導き出した答えにじわじわと体が熱くなっていった。具体的な想像までは、怖《こわ》くてできそうにない。どう考えても、あまり気持ちのいい絵面《えづら》ではないことは明白だ。

「何だ、急に大人しくなって。昨日のこと、思い出してきたか？」

起こってしまったことは、もうどうしようもない。いま、横澤にとって一番の問題は自分が上だったのか下だったのかということだ。

体に違和感《いわかん》が残ってないし、最後まではしていないはずだ。桐嶋を組み敷《し》く自分も想像できないし、ましてや自分が押し倒《たお》されている姿なんて考えたくもない。

それ以前に桐嶋に、そういう嗜好《しこう》があったことが驚《おどろ》きだ。親しくはないから、プライベートはよく知らない。けれど、左手の薬指に指輪をしているところを見ると既婚《きこん》者なのだろう。果たして本当に自分と関係を持ったのだろうか。

「……訊いてもいいか？」

「質問の内容にもよるな」

遠回しに訊《たず》ねても埒《らち》が明かないと思い、ストレートに切り込むことにした。

「あんた、ホモなのか？」

「お前だって、そうなんだろ？」

「俺は違《ちが》う！」

反射的に否定したのは、自分ではゲイだと思っていないからだ。同性を好きになったのは、ただ一人だけ。だから、男を好きなのか、それとも、高野《たかの》だけが好きなのか、正直なところ自分でもはっきりしたことはわからなかった。

高野と出逢《であ》ったばかりの頃《ころ》は彼女もいた。けれど、彼女と過ごすよりも高野と一緒《いっしょ》にいるほうが居心地《いごこち》がよく、何度かのすれ違いのあと自然消滅《しょうめつ》した。

それから、ずっと決まった相手はいない。好意を寄せられることはあったけれど、誰《だれ》に対しても気持ちが動くことはなかった。

「何が違うんだ。昨日、散々男に失恋《しつれん》したって愚痴ってたくせに。俺が何度同じ話聞かされたと思ってんだ」

「俺が!?」

桐嶋の言葉に、血の気が引いていく。いったい、自分はどこまで話してしまったのだろうか。もし、高野や小野寺《おのでら》の名前まで口にしていたら大問題だ。

「本気で覚えてないんだな。あんな男より俺のほうが幸せにしてやれるのに、あんたもそう思うだろうとかかってうるさいの何の。まあ、心配すんな。相手の名前までは云《い》ってなかったから」

「それは本当か!?」

桐嶋の慰《なぐさ》めに縋《すが》りついてしまう自分が情けない。必死な顔をしていたのか、桐嶋は横澤を見ながら吹《ふ》き出した。

「そんな悲愴《ひそう》な顔して確認しなくたって本当だよ。どこの誰かなんて聞いちゃいない。……けど、気にするってことは相手は社内のやつか？」

「……っ、そ、んなわけ、ないだろ」

鋭《するど》い指摘《してき》に胸がひやりとしたけれど、ポーカーフェイスを装って嘘《うそ》をついた。酔《よ》っていても、うっかり口を滑《すべ》らせなかった昨晩の自分を褒《ほ》めてやりたい。

「けど、片想いの相手は男だったんだろ？」

「それは……」

どんなふうに話したのかは覚えていないけれど、ここまで確信を持って云われるということは、鎌《かま》をかけてきているわけではないのだろう。

「サファイアで出してる本じゃねぇんだ。『たまたま好きになったのが男だっただけ』とか云うなよな。素質がなきゃ、男に恋愛《れんあい》感情持つわけないだろ。だいたい、ホモじゃないならあんなに悶《もだ》えないよなあ」

肩《かた》を小さく震《ふる》わせて笑いながら揶揄してくる桐嶋に、思わず声を荒《あら》らげる。

「もだ……誰がそんな真似――って、何で俺の話になってんだよ！　俺はあんたのことを訊いてんだよ！」

悶えた記憶《きおく》は毛頭ないが、覚えていないというのは立場が弱い。万が一事実だったとしたら、羞恥《しゅうち》で死ねる。安っぽい挑発《ちょうはつ》に乗せられているのはわかっている。けれど、何故《なぜ》か桐嶋の前では自分を抑《おさ》え込むことができず、感情が剝《む》き出しになってしまう。

「そんなに俺のことを知りたいと思ってたとはな。俺はどっちもイケるってだけだ。基本的に気の強いやつが好きだが、性別にこだわりはない」

だから、お前でも問題ないとでも云いたいのだろうか。腹の中の読めない桐嶋の発言の真偽《しんぎ》は、横澤には計りかねた。

「お前はどっちかって云うと、男のほうがいいんじゃないのか？　男子校の体育会系の匂《にお》いがするもんな」

「なっ……」

まるで、男なら誰でもいいのだろうと云われているようで、屈辱感《くつじょく》を覚える。しかし、怒《いか》りに任せて声を荒らげても、柳《やなぎ》のように躱《かわ》されるだけだ。それでも、せめて一矢報《いっしむく》いたくて嫌《いや》みを云う。

「あんたこそ、相手は誰でもいいんじゃないのか？　そもそも、酔い潰《つぶ》れてる相手に手ぇ出すなんて最低だろ」

「何云ってるんだ。一人にしないでくれって先に縋りついてきたのはお前だ」

「俺がそんなこと云うわけねーだろ！」

カッとなり、声を荒らげて否定した横澤に、桐嶋は正論を返してくる。

「覚えてないくせに否定できるのか？　違うって云うんなら、何があったか順を追って話してみろよ」

「……ッ」

言葉を詰《つ》まらせた横澤の顎《あご》を指で持ち上げながら、桐嶋が酷薄《こくはく》に云い放つ。

「俺、お前みたいにプライド高いやつを屈服《くっぷく》させるのが好きなんだよな」

「ふざけんな！　調子に乗んじゃねーよ！」

カッとなった横澤は怒りに任せて桐嶋を押し倒してやろうと摑《つか》みかかる。しかし、胸《むな》ぐらに手が届く前に腕《うで》を捻《ひね》られ、逆にベッドに俯《うつぶ》せに押さえ込まれてしまった。

「暴力は感心しないな」

「いててててて、こら！　はな、放せよ……っ」

関節技《わざ》を決められ、苦痛に呻《うめ》く。まさか、自分がこんな簡単に組み敷かれるとは思いもしなかった。暴れれば暴れるほど、痛みが増していく。

「あんまり人を甘く見ないほうがいい。自分より体格の劣《おと》っている相手でも、どんな特技を持っているかわからないだろう？」

「説教はいいからさっさと放せ！」

手際《てぎわ》のよさからして、何かしらの武道をやっていたのかもしれない。しかし、いまの横澤にはそんな情報はどうでもいい。

痛みを堪《こら》えて必死にもがくと、桐嶋はようやく締《し》めつけを緩《ゆる》めてくれた。

「営業の暴れ熊《グマ》も形なしだな。俺を押し倒そうなんて百年早い」

「くそ…っ」

起き上がり、痛めつけられた関節を擦《こす》る。反撃《はんげき》する代わりに、腰《こし》に手を当てて見下ろしてくる桐嶋を恨《うら》みがましい眼差《まなざ》しで睨《ね》めつけた。

普段《ふだん》は細身に見える体は着痩《きや》せしているだけらしく、こうして対峙《たいじ》すると体格のよさがわかる。ジャケットの下の胸板《むないた》はがっちりとしており、弛《たる》んでいる部分はどこにもない。きっと、着ている服の仕立てのよさが、逞《たくま》しい体つきをスマートに見せているのだろう。

口でも力でも敵《かな》わない以上、余計なことをすれば墓穴《ぼけつ》を掘《ほ》るだけだ。屈辱感に震えながらも、大人しくしていることしかできなかった。

「ついでに云うと、見た目もあんまり関係ないな。むさ苦しいのは勘弁《かんべん》だが、それは男だって女だって同じだろ」

「は？」

「中身が大事だってことだよ。ああ、そうそう、お前のスーツもここにかけてある。せっかくだから、ぎりぎりまで寝《ね》とけ。まだ酒が抜《ぬ》けてないだろう？」

桐嶋はそう云って、クローゼットを指の背で叩《たた》いて示す。わざわざかけておいてくれたとは、ご丁寧《ていねい》なことだ。

「あんたはどうすんだよ」

「俺は一旦《いったん》家に帰る。精算はしておいてやるから、帰りにカードキーだけ返しとけ」

一緒に部屋を出るのは気まずかったため、先に出ていってくれるのは助かる。二人並んでチェックアウトをする姿を想像するだけでげんなりする。

だが、そのとき安堵《あんど》と共に疑問が一つ浮《う》かんだ。

「……おい、ちょっと待て。昨日の会計はどうしたんだ？」

横澤には店を出た記憶も、財布《さいふ》を出した記憶もない。けれど、こうしてここにいるということは、意識がないうちに金を払《はら》ったか、食《く》い逃《に》げをしてきたかのどちらかだ。

「俺がすませたに決まってるだろ。お前、べろべろでまともに歩けやしないし、そのでかい図体《ずうたい》をタクシーに乗せるの大変だったんだぞ」

「俺なんか放っておけばよかったんだ」

そうすれば、こんなふうに文句を云われることも、過《あやま》ちが起きることだってなかったはずだ。

いまさらだとわかっているけれど、ぼやかずにはいられない。

「仕方ねぇだろ。あの店、気に入ってるんだよ。お前が迷惑《めいわく》かけて、俺まで出入り禁止になったら困る」

「そりゃ、どうもすみませんでしたね」

棒読みで謝罪を口にすると、桐嶋は財布の中からやけに長いレシートを取り出した。

「お前が飲んだぶんは返せよ」

「わかってるよ！　あんたにこれ以上借りを作る気は——な……っ、何だこの額⁉」

引ったくるようにして受け取ったレシートには、想像以上の数字が並んでいた。普段の飲み代とは桁《けた》が違《ちが》う。一月の飲み代が一晩で消えた計算になる。

青くなっている横澤に、桐嶋は破格の勘定《かんじょう》の理由を教えてくれた。

「お前、相当いい酒ばっか頼《たの》んでただろ。だから、飲みすぎるなって忠告してやったのに」

「…………」

どうしてもっと強く止めてくれなかったのかと云《い》いたい気持ちはあるけれど、桐嶋にそんな義務はない。それに、止められたところで聞く耳など持たなかっただろう。

「武士の情けだ。割り勘《かん》にしてやるよ。俺のほうがいい給料もらってるだろうからな」

「余計なお世話だ！　自分のぶんは自分で払う！」

多少無理をしてでも、自分の尻《しり》は自分で拭《ぬぐ》うのがポリシーだ。だが、桐嶋は横澤の痩《や》せ我慢《がまん》を見抜《みぬ》き、小さく笑う。

「無理すんな。レシート見て、青い顔してたくせに。年下らしく甘えておけ」

「……く……」

動揺《どうよう》を見抜かれていたことが悔《くや》しいが、実際、給料日前の財布にとっては大ダメージだ。しかし、金銭面はきちんとしておきたい。もっと近しい間柄《あいだがら》なら、次の機会で埋《う》め合わせをすることができるけれど、桐嶋との繋《つな》がりは同じ会社だということだけだ。

とは云え、現在は一括《いっかつ》で支払《しはら》えるほど持ち合わせがない。結局のところ、桐嶋に借金をするしか方法はなかった。

「給料日まで待ってくれ。金が入ったら、耳を揃《そろ》えて払う」

「半分でいいって云ってんのに、そんなに俺に借りを作りたくないか？」

「いい加減なことをしたくないだけだ」

「なるほどな。責任感が強いのはいいことだ。なら、遠慮《えんりょ》なく受け取ることにするか。ああ、そうそう。云い忘れてたが、お前、しばらく俺の下僕《げぼく》だからな」

「…………は？」

いきなりの話題転換《てんかん》に、話の流れが摑めず、ゆっくりと目を瞬《しばたた》く。怪訝《けげん》な顔をしている横澤に、桐嶋は仕事の指示を下すかのようにさらりと告げた。

「当面は俺の命令には逆らわないように」

「どうして俺がそんなものにならなくちゃいけないんだ？」

告げられた言葉の意図が、さっぱりわからない。これまでの話の文脈に、伏線《ふくせん》のようなものは一切《いっさい》なかったはずだ。

「貸しがいっぱいできたからな。酔《よ》って絡《から》まれて愚痴《ぐち》を聞かされて、そのあと会計を立て替《か》え、潰れたお前の面倒《めんどう》まで見て……これだけでも相当だぞ」

「く……」

反論の余地はなく、悔しいけれど黙《だま》るしかなかった。

「それに、恥《は》ずかしい写真をバラまかれたくないだろ？」

「恥ずかしい写真……？」

誰《だれ》がどう恥ずかしいのか、桐嶋の言葉だけではわからない。しかし、嫌《いや》な予感はする。

「飲み込みが悪いな、昨日のお前の写真だよ」

「なっ……んなの、いつ撮《と》ったんだよ！」

「そんなの聞かなくたってわかるだろう。出版社に勤めてるんなら、ちょっとは想像力を使ったらどうだ」

「ふざけんな！　いますぐ消せ！」

ベッドから飛び起き、桐嶋の手の中にある携帯電話《けいたい》を奪《うば》い取ろうとしたけれど、素早《すばや》く身を躱《かわ》され、みっともなくよろめくばかりだった。

「そんなもったいないことするわけないだろう。消して欲しかったら、大人しく云うこと聞くんだな。俺が主従ごっこに飽《あ》きたら消してやるよ」

「あんた何考えてんだ……ッ」

まさか、編集長ともあろう立場の人間が、そんな趣味《しゅみ》の悪い脅《おど》しをかけてくるとは思いもしなかった。

「さあな。訊《き》かれて簡単に手の内を晒《さら》すわけないだろう。それじゃあ、先行くわ。自分の恥ずかしい姿を好きなだけ想像しとけ」

「ちょっ…待てよ！　おい!!」

桐嶋は意地の悪い捨て台詞《ぜりふ》を残して、去っていった。服を着ていないせいで、追いかけることもできない。

「……やっぱり、最悪だ」

下着一枚の間抜《まぬ》けな姿でベッドの上に一人取り残された横澤は、静かになった室内で呻《うめ》くように呟《つぶや》いた。


昨日から降っていた大雨は、明け方には止《や》んでいたらしい。

雨上がりの空は抜けるような青色だった。皮肉なほどに晴れ上がった空とは対照《たいしよう》的に、自棄《やけ》酒《ざけ》による二日酔いで胸のあたりがムカムカとする。

桐嶋にはぎりぎりまで寝ておけと云われたけれど、あんな状況《じようきよう》でのうのうと惰眠《だみん》を貪《むさぼ》るほど神経は太くない。シャワーを浴びてぼやけた頭をはっきりさせ、桐嶋が出ていった小一時間あとには、横澤もホテルをチェックアウトした。

クローゼットにかかっていた横澤のスーツも、何故《なぜ》か綺麗《きれい》にクリーニングされていた。しかし、同じスーツで出勤すれば同僚《どうりょう》に何を云われるかわからない。

飼《か》い猫《ねこ》に餌《えさ》をやらなければならないこともあり、一旦帰宅し、着替《きが》えてから会社へと向かった。途中《とちゅう》、立ち寄ったドラッグストアでウコン入りのドリンク剤《ざい》を買って飲んだけれど、効果を発揮するにはまだ時間がかかりそうだ。

「……くしっ」

前を歩く男がさっきからくしゃみを繰《く》り返している。また風邪《かぜ》が流行《はや》り出しているのだろうか。もしかしたら、この不快感は酒のせいではなく風邪の兆候なのかもしれない。

念のため、デスクに常備してある葛根湯《かっこんとう》を飲んでおくべきかと考えながら、閉まりかけたエレベーターのドアを強引《ごういん》に手で止める。

「待て、乗る」

「あ……お、おはようございます」

「！」

エレベーターの先客は、エメラルド編集部の新人、小野寺律《りつ》だった。いま一番顔を合わせたくない人間だ。横澤は渋面《じゅうめん》を浮かべて正面を向いた。

「何だ、お前か。朝っぱらから見たくもねー顔見せんなよ」

「……すみません……」

見たくない顔を見ているのは、小野寺も同じだろう。誰だって、恋敵《こいがたき》の顔を見るのは面白《おもしろ》くないはずだ。沈黙《ちんもく》に耐《た》えきれず、自分のほうから口を開いてしまう。

「編集のくせに早ぇな。仕事回せねえくらいグズなのかよ」

横澤の嫌みに対し、小野寺はいつものように突《つ》っかかってくることはなかった。

「違います。今日、次のコミックスの企画書《きかくしょ》提出日なんで、提出しておこうと思って。……早めのほうがいいかと……」

「別に好きでもねー仕事にそこまで気合い入れなくてもいいんじゃねぇの？　文芸に異動届なり書くほうが先じゃねえのか」

これは嫌みでも揶揄《やゆ》でもなかった。現実的にやりたくない仕事なら、嫌々《いやいや》続ける必要はないと思っている。

誰もが好きなことを仕事にできるわけではない。けれど、望まぬ職についてもやりがいや意義を見つけることはできる。

世間を知らない子供ではないのだから、社会人として気持ちを切り替えられないのなら、その仕事に対しても、同僚に対しても失礼だ。

「あ、あのっ！　俺、漫画《まんが》編集でやっていきたいと思ってますから！」

横澤の言葉を小野寺が遮《さえぎ》ってきた。そして、息継《いきつ》ぎも慌《あわ》ただしく、一息に捲《まく》し立てる。

「まだまだ勉強不足なのはわかっています。だから横澤さんにも仕事を教えていただきたいと思っています。し、正直、横澤さん苦手ですけど、高野さんが横澤さんはできる営業だって云《い》ってましたし」

小野寺が、自分からこんなことを云ってくるなんて、今日は槍《やり》でも降ってくるのだろうか。

入社当時は、『漫画なんて』と見下している感もあったけれど、エメラルド編集部に配属され、考え方も変わってきたのかもしれない。

……きっと、それは高野の影響《えいきょう》だろう。

二日酔いのムカつきでごまかされていた胸の痛みが戻《もど》ってきた。まだ生乾《なまがわ》きの傷がじくじくと疼《うず》くように痛む。その傷を自ら抉《えぐ》るようにして、不遜《ふそん》な声音《こわね》を絞《しぼ》り出した。

「…………当然だろ。つーか、お前ごときが、俺に教えを請《こ》うとか百年早いんだよ」

小野寺は小さく息を呑《の》む。思わず口をついて出た言葉が、桐嶋に云われた言葉とかぶっていることに気づき、嫌な気持ちになる。

快く思っていないせいか、どうしても小野寺を相手にすると威圧《いあつ》的な言動が酷《ひど》くなる。だが、せっかくのやる気を潰《つぶ》すのもどうかと思い、横で小さくなっている小野寺に、語気を和《やわ》らげて告げた。

「……まあ、お前がちゃんとやってるのは、認めたくないが、認めてやる」

「！」

小野寺は、横澤の言葉に驚《おどろ》いている様子だった。エレベーターが三階で止まり、ゆっくりとドアが開く。小野寺に視線を投げつつ、フロアに足を踏《ふ》み出した。

エメラルド編集部は少女漫画部門のある四階にある。なのに、小野寺は一緒《いっしょ》にエレベーターを降りてついてきた。

「あの企画書、よくできていた。そのまま進めろ」

「え？」

「ただ、あれをちゃんと実現しないことには、何も始まらん。お前が本当にできるのか疑問だが、協力はする。——仕事だからな」

「あ、はい、よろしくお願いします!!」

目を丸くしつつも、慌てて頭を下げてくる。

「あと一つ」

これだけは、どうしても確認《かくにん》しておきたかった。きっと、このタイミングを逃《のが》したら、二人きりで話をする機会はないし、話したくもない。大きく息を吸い込んで、できるだけ平坦《へいたん》な口調になるよう切り出した。

「——お前、政宗《まさむね》のこと好きなのか？」

「！」

高野の気持ちは昨日、本人から聞かされた。その気持ちにつけ入る隙《すき》がないことは、重々思い知らされた。けれど、小野寺自身の本心はわからない。

気があるようには見えるけれど、高野の想《おも》いに釣《つ》り合うほどの気持ちなのか、それを確かめておきたかったのだ。

重苦しい長い長い沈黙のあと、小野寺は真っ赤な顔で小さく頷《うなず》いた。

「……はい」

横澤は一度目を閉じ、ゆっくりと目蓋《まぶた》を持ち上げた。

「お前がどう思っていようが、政宗に嫌《いや》な思いをさせるようなら、俺は容赦《ようしゃ》なく奪《うば》い取る。それだけは覚えとけ」

呆然《ぼうぜん》としている小野寺を残し、営業部のほうへと歩いていく。背中越《ご》しにエレベーターが開く気配を感じる。誰《だれ》もいないフロアを大股《おおまた》で横切り、自分の椅子《いす》にどさりと座った。

「……何、やってんだ俺」

額に手の甲《こう》を乗せ、力なく呟く。

あれでは宣戦布告ではなく、ただ小野寺の背中を押しただけだ。本気で奪い取るつもりなら、あの発言は逆効果でしかない。

敵に塩を送るような真似《まね》をしてしまったのは、小野寺の本気を感じ取ったからかもしれない。

以前のような迷いや躊躇《ためら》いが、表情から消えていた。

きっと昨日の夜、二人の間にも何かがあったのだろう。

「あいつには、ああいうのが合ってるのかもな」

思い詰《つ》めるとどこまでも沈《しず》んでいく男には、ひねているようで単純で純粋《じゅんすい》な、小野寺のほうが、案外上手《うま》くいくかもしれない。

高野には幸せになって欲しい。荒《あ》れていた時期を知っているからこそ、誰よりもそう思う。本当は自分が幸せにしてやりたかったけれど、本人がそれを望んでいないのだから仕方がない。

「——仕事するか」

いつまでも悲嘆《ひたん》に暮れているなんて、それこそ柄《がら》じゃない。仕事に没頭《ぼっとう》していれば、そのうちに胸の痛みも癒《い》えていくはずだ。

ぎしりと椅子の背を軋《きし》ませて体を起こすと、ノートパソコンを開いて電源を入れた。


朝から鬼《おに》のように仕事をこなしている横澤には、あまり同僚たちも近づいてこなかった。世間話をする気にはなれなかったので、これ幸いと外回りから戻ってきてからずっと書類仕事に没頭している。

「……くそっ」

腕《うで》を動かすたびに、やたらと糊《のり》の利《き》いたワイシャツが引っかかる。その感触《かんしょく》のせいで、忘れたい今朝の記憶《きおく》がことあるごとに蘇《よみがえ》ってきてしまう。

会社の上役のバスローブ姿が脳裏《のうり》から消えないなどと、誰かに愚痴《ぐち》を云うこともできず、悶々《もんもん》とせざるをえなかった。

強引《ごういん》に不愉快《ふゆかい》な映像を頭から追い出し、溜《た》まった仕事を一つずつ片づけていく。週明けに行われる部決会議のための資料の準備は終わっている。新刊発行に合わせて既刊《きかん》にも重版をかけることになっているから、品薄《しなうす》状態は解消されるはずだ。

「あとは……企画書か……」

横澤の班は主にコミックスの販促《はんそく》活動を担当している。いまの最重要コンテンツは『ザ・漢《かん》』だ。映画化を控《ひか》えているいま、新刊だけでなく既刊を売り伸《の》ばさなくてはならない。本を売ることが、営業部に課された使命だ。

映像化をするに当たっては、相当の金がかかる。関《かか》わる人間が増えるぶん、手間も経費も膨《ふく》らむということだ。

そして、その金額以上の収益を得なくては、メディアミックスの意味はない。コンテンツをユーザーに提供し続けていくためには、新たなユーザーを増やす必要があるのだ。

売れていても、売れていなくても、もっと売れと云われるのが営業だ。その使命を全《まっと》うすべく、日夜馬車馬のように仕事をしている。次から次へと息をつく暇《ひま》もないけれど、横澤にとっては性にあっている仕事だった。

就職先に出版社を選んだのは、単に本が好きだったからだ。

かと云って、作家や編集者など作り手側に回りたいと思ったことはなく、当初は普通《ふつう》に商社などを受けるつもりでいた。

しかし、ある日何気なく見ていたテレビ番組で出版社の営業職が取り上げられているのを目にし、志望を変えた。人と会うことは苦ではないし、もし営業として商品を売り込むのなら、自分の好きなものがいい。そう思ったのだ。

そのときは直感のようなものだけだったけれど、あのときの選択《せんたく》は正しかったと思っている。やりがいも感じるし、自分のようにあくの強い人間でも、丸川書店には個性的な社員ばかり揃《そろ》っているため働きやすい。

「ん？」

各所から回ってきた書類を捲《まく》っていて、来月から始まるキャンペーンに使う販促物のデータがまだ来ていないことに気がついた。ポップやポスターなどの販促物は営業部が発注して作る。そのため、編集部から元の画像データをもらえないことには発注すらかけられない。

「おい、逸見《へんみ》！　ジャプンから販促物のデータ来てるか？」

横澤は斜《なな》め前の席の、電話を終えたばかりの部下に声をかけた。

「いえ、まだです。今週中にはもらえるはずなんですけど……」

「今週って今日金曜だぞ。まさか、日曜の夜まで待つ気じゃないだろうな？　直《じか》に行って催促《さいそく》してこい。電話じゃ埒《らち》が明かねえ」

「わ、わかりました」

横澤の叱咤《しった》に、逸見は椅子を鳴らして立ち上がった。気が立っているせいで、当たりが強くなってしまったかもしれない。

あとでフォローを入れておかなくてはと反省しながら、何気なく視線を巡《めぐ》らせた横澤はフロアの入り口に立つ桐嶋の姿を目にしてぎょっとした。

「げっ……」

ちょうどジャプン編集部に向かうところだった逸見が、慌《あわ》てて桐嶋の許《もと》へと駆《か》け寄った。

「桐嶋さん！　今日はどうしたんですか？　営業部に来るなんて珍《めずら》しい。いま、そちらに伺《うかが》おうと思ってたところなんですよ」

何故《なぜ》、編集長である桐嶋がわざわざ営業部に足を運んでいるのかと、周りも不思議そうにしている。

「販促物のデータ持ってきた。遅《おそ》くなって悪かったな。ウチのやつが、持って行ったつもりで書類の底に埋《う》もれさせてるのをさっき発掘《はっくつ》したんだ」

逸見は桐嶋からデータの入ったＣＤ－ＲＯＭを受け取った。

「すみません、編集長直々《じきじき》に持ってきていただいて」

「いや、ついでだったから」

「ついで？」

桐嶋の言葉に、逸見は怪訝《けげん》な声を上げる。本来の目的が何なのか、見当がつかないのだろう。

横澤は嫌な予感がして、桐嶋と目が合わないように背中を向け、PCの画面に集中しているふりをした。

しかし、その程度のことで隠《かく》れられるはずもなく、簡単に桐嶋に見つけられてしまった。

「お、いたいた。横澤、飲みに行くぞ」

「!?」

桐嶋の誘《さそ》いの言葉に、フロア中がざわついた。明らかに仕事以外で接点のない横澤を飲みに誘いに来たことが、皆《みな》信じられないのだろう。営業会議では対立することも少なくなく、犬猿《けんえん》の仲だと思っている者もいる。

横澤のデスクまでつかつかと歩いてくると、わざわざもう一度云《い》い直す。

「聞こえてるか？　飲みに行こうっつってんだよ」

「……まだ仕事が残ってます」

ささやかな抵抗《ていこう》を試みたけれど、鼻先で笑い飛ばされた。

「はあ？　定時までにノルマ終わってないってありえないだろ。一日何してたんだ？」

「うるせぇな！　来週のぶんをやってんだよ！」

カッとなって反論した直後、挑発《ちょうはつ》されたのだと気づく。ニヤニヤと笑いながら見下ろしてくる桐嶋の表情が腹立たしい。

「だったら、来週に回せよ。うるさいやつが職場にいないほうが仕事が捗《はかど》ることもあるだろうし。なあ？」

「へ？　い、いや、どうですかね……」

はらはらと見守っていた逸見は、急に桐嶋に話を振《ふ》られて、しどろもどろに返した。否定しないということは、そう思っている節があるということだ。

横澤がぎろりと睨《にら》むと、桐嶋が頭を乱暴に掻《か》き回してきた。

「何するんですか！」

「部下を威圧《いあつ》すんな。ただでさえ怖《こわ》い顔してんだから、控えめにしとけ。おら、さっさと支度《したく》して行くぞ」

「何であんたにつき合わなくちゃいけないんですか」

大勢の前で茶番を繰《く》り広げているのが不愉快で、思わず本音が漏《も》れる。横澤の不満げな態度に、桐嶋は冷ややかな眼差《まなざ》しを向けてきた。

「お前、ボケるの早すぎだろ。まさか、今朝のこともう忘れ――」

「……ッ」

桐嶋の言葉を遮《さえぎ》るように大きく椅子《いす》を鳴らして立ち上がる。職場であれを脅《おど》しに使ってくるとは思いもしなかった。

余計なことを云われる前にと、わざとらしいほど大きな声で口を挟《はさ》んだ。

「あー！　キャンペーンの相談するんでしたよね！」

「そうそう。覚えててくれて助かったよ」

白々しい笑顔《えがお》を返され、腹の中が煮《に》えくりかえる。だが、ここでキレたりしたら、回りに何を勘《かん》ぐられるかわからない。

「じゃあ、行きましょうか」

外回りでもこんなに表情筋を使ったことはない。こんなことなら、普段《ふだん》から愛想《あいそ》笑いの練習でもしておくべきだった。何かあったのかと興味津々《きょうみしんしん》の同僚《どうりょう》たちからの好奇《こうき》の目から逃《に》げるように、桐嶋を押し出しながら会社をあとにした。

「どうだ、美味《うま》いだろう」

「……美味い」

桐嶋に勧《すす》められて口にした北陸の日本酒は、目を瞠《みは》るほど美味かった。

ふわりと鼻腔《びこう》を抜《ぬ》ける花のような香《かお》りと舌の上に広がる甘さはどちらも上品で、後味もすっきりとしている。素直《すなお》に認めるのは悔《くや》しかったけれど、美味いものは美味い。

軽く食事をしたあと桐嶋に連れてこられたのは、日本酒専門のバーだった。いつも営業の面《メン》子《ツ》や取引先と来るような店とは雰囲気《ふんいき》が違《ちが》う。

つまみで出された小鉢《こばち》も品がよく、店員の所作も丁寧《ていねい》でチェーン店のような押しつけがましさがなく居心地《いごこち》がいい。

「もう少しで三十路《みそじ》になるんだ。酒の飲み方くらい覚えとけ」

「いつもはあんな飲み方しねぇよ」

「へえ、そうなのか」

「そうだよ！　つーか、三十路まではまだあと二年ある」

信じてもらえていない気がして、つい語気が強くなった。少し声が大きかったかと反省し、周囲に目を配る。奥の席だったことが幸いし、他《ほか》の客の気に障《さわ》るほどではなかったようだ。

「二年なんて、あっという間だけどな」

「うるせぇ」

桐嶋はムキになる横澤を眺《なが》めながら、楽しそうに酒を飲んでいる。桐嶋相手に云い訳をしても意味がないと思い直し、横澤も自分の前にある江戸《えど》切り子のグラスを口元に運んだ。芳醇《ほうじゅん》な香りを舌の上で味わいながら、何気なく店内に目を向ける。客層は横澤より年上の男性が多く、一人で来ている女性もいる。

暖色系の間接照明で照らされた薄暗《うすぐら》い店内もシックで居心地がよかった。高い酒を出す店は性に合わないと敬遠していたけれど、こういった風情《ふぜい》なら一人で来るのも悪くない。普段、桐嶋は誰《だれ》と訪《おとず》れているのだろうか。

「……こんな店に、俺なんか連れてきて楽しいか？」

「その嫌《いや》そうな顔が見たかったんだよ」

「性格悪いな、あんた」

「いい性格をしているとは、よく云われる」

口の端《はし》を持ち上げて笑う仕草に、何故かドキリとする。わざとらしく悪い顔をして見せる桐嶋の雰囲気に呑《の》まれそうになるのを何とか堪《こら》え、憎《にく》まれ口を叩《たた》いた。

「上司があんたじゃ、部下は仕事がやりにくいだろうな」

「可愛《かわい》い部下に意地の悪いことなんてするわけないだろ。お前の下にいるよりは、よほど居心地がいいだろうよ」

「そんなこと――――」

ない、と云おうとして、逸見の反応を思い出してしまう。自分の態度が、周りを萎縮《いしゅく》させてしまっているのだとしたら、それはよくない傾向《けいこう》だ。

皆が負けん気の強い性格ではない。強い語気で発破をかけていい仕事をする者もいれば、ストレスを感じてしまう者もいるだろう。

「お前のとこはいい仕事してるんだから、もっと周りを褒《ほ》めてやれ。お疲《つか》れさま、ありがとうって云うだけでも全然違う」

「……んなこと、わかってるよ」

「わかってても云《い》えないんだよな？　いい歳になったら、ツンデレが許されるのは相手が恋人《こいびと》のときだけだろ」

「誰がツンデレだ」

「基本、デレはほとんどないけどな」

「知るか、そんなこと」

つき合ってられんとばかりにそっぽを向き、場をごまかすために酒を飲む。口当たりがいいため、水よりも滑《なめ》らかにするすると喉《のど》を通っていく。これは気をつけないと、飲みすぎてしまいそうだ。

空になったグラスを苦い顔で見つめていたら、桐嶋に気遣《きづか》われてしまった。

「水もらっておくか？」

「今日は昨日みたいにピッチ速いわけじゃねーから平気だ」

このあたりでやめておけば問題はないはずだ。そもそも、横澤は酒に弱いわけではない。昨夜の酒量が異常だっただけだ。

「……つーかさ、あんた、何で俺に固執《こしつ》するんだ？」

さっきまでは自分を振り回してくる桐嶋に苛立《いらだ》っていたけれど、よく考えてみると、不可解なことばかりだ。

わざわざ横澤を誘《さそ》わなくても、社内に同世代の友人がいるはずだし、酔《よ》っていたとは云え、

『暴れ熊《グマ》』などと呼ばれている年下の男に手を出さなくても、桐嶋ならその気になればいくらでも相手が捕《つか》まるだろう。

たまたま居酒屋で行き会い、弱みを握《にぎ》ったからと云って、自分のような面白《おもしろ》みもない人間をわざわざつき合わせる意義が理解できない。

「云っただろ、プライドの高いやつをイジメるのが好きだって」

「おい、余計な単語が増えてるぞ。つーか、プライド高いやつだったら、ウチの会社にはたくさんいるだろ。俺じゃなくたって、例えば、高野とか……」

思わず、自分の傷を抉《えぐ》るようなことを口にしてしまう。よりによって、こんなところで名前を出してしまうなんて怪《あや》しまれかねない。内心の動揺《どうよう》を見抜《みぬ》かれないことを祈《いの》りながら桐嶋の様子を窺《うかが》う。

「高野？　あいつはダメだ。プライド高くても見た目のわりに繊細《せんさい》だし、打たれ弱そうだからな。本気でイジメたら、なかなか上がってこないだろうな」

「…………」

意外と人をよく見ていることに感心した。桐嶋の云うように、高野は繊細なところがある。虚勢《きょせい》は張っているけれど、落ち込むと長いし、切り替《か》えも上手《うま》くない。ただ、そのぶん懐《ふところ》に入れた相手に対しては心を開いてどこまでも信頼《しんらい》する。

大学生の頃《ころ》はそれがもっと顕著《けんちょ》だったけれど、社会人となり、年齢《ねんれい》を重ねることでずいぶんと丸くなった。それでも、彼の本質は少しも変わっていない。

「ああいう、まだ自分のことに手いっぱいの若造は好みじゃないんだよな」

「おい、俺があいつと同い年なの知ってるか…？」

見た目が老けていることは自覚しているが、高野が若造なら、自分だって同じだ。桐嶋の云いぶんは納得《なっとく》しきれない。

「中身のこと云ってんだよ。まあ、あの多感な若い感性があるからこそ、エメラルドが成功したんだろうけどな。お前にはお前のよさがあるんだから、同期だからってそんなに意識しなくていいだろう」

「べ、別に意識なんかしてねーよ！」

もしかしたら、高野をライバル視していると思われたのかもしれない。失恋《しつれん》相手だと気づかれるよりはマシだが、それはそれで腹立たしい。

「そうか？　ま、お前だって俺からしたらまだまだケツの青い若造だけどな。手取り足取り教え込んでいくのも悪くない」

「……あんた、性格だけじゃなくて、趣味《しゅみ》まで悪いんだな……」

「そうか？　人を見る目はあるほうだと思うがな」

「云ってろ」

卑下《ひげ》したいわけではないけれど、こんな強面《こわもて》のどこがいいのかさっぱり理解できない。連れ歩くなら、もっと素直《すなお》そうな部下のほうがいいのではないだろうか。

「お前、普段《ふだん》の態度がでかいわりに、自己評価低いんだな。仕事もできるし、見た目も悪くないんだから、もっと自信持っていいんだぞ」

「な、何だよ。気持ち悪いな」

急に持ち上げるようなことを云われ、狼狽《うろた》える。桐嶋からの褒め言葉など、何か罠《わな》でもあるのではないかと疑念を抱《いだ》いてしまう。

「褒められ慣れてないんだな。照れるなって」

「照れてねーよ！」

「ふぅん？　顔赤くしてたら、説得力ないけどな」

「てきとうなこと云うんじゃねーよ。こんな薄暗い店内で、顔色なんてわかるか」

「バレたか」

桐嶋は横澤の指摘《してき》に、肩《かた》を竦《すく》めた。その楽しそうな様子に、うんざりとため息をつく。

仕事以外ではほとんど接点のない人だったけれど、こんなに軽い性格をしているとは想像もしていなかった。

丸川書店で一番のヒット作を世に送り出した屈指《くっし》のヒットメーカーということもあって、もっと職人気質《かたぎ》の人かと思っていたのだが、実際はかなりイメージと違《ちが》っていた。

「……ちょっとトイレ」

「さっきも行ってなかったか？　若いのに近いな」

「うるせぇな！」

摑《つか》みどころのない笑《え》みで見送られ、むず痒《がゆ》い気持ちになりながら、店の奥にあるトイレに入った。曇《くも》り一つなく磨《みが》き抜《ぬ》かれた鏡の前に立ち、大きく息を吐《つ》く。

桐嶋相手だと調子が狂《くる》う。大して酒も飲んでないはずなのに、何故《なぜ》か隣《となり》にいると落ち着かない気分になる。

弱みを握られている相手だからなのか、それとも、彼自身に対して居心地《いごこち》の悪さを感じているのかはわからない。以前から苦手意識はあったけれど、会議以外で同じ空間に長時間いることがなかったため、原因を探《さぐ》る術《すべ》がなかった。

しかし、原因がわからなくても、対処法はある。その対象から距離《きょり》を取ればいいのだ。そうすれば、この苛立ちからも逃《のが》れられるはずだ。

「それができりゃ、簡単なんだけどな……」

自ら歩み寄っているわけではなく、一方的に連れ回されている以上、桐嶋が自分を弄《いじ》ることに飽《あ》きてくれるのを待つしかない。どんなに考えても、結局は振《ふ》り出しに戻《もど》ってしまう。

力でも口でも敵《かな》わず、歳も会社での立場も上の人間に対して、いま以上に逆らうのは現実問題難しい。

「くそっ」

為《な》す術もない自らが、歯痒《はがゆ》くて仕方がない。小さく悪態をつき、勢いよく流れる水で火照《ほて》る顔を洗う。水の冷たさで、幾分《いくぶん》冷静さが戻ってきた気がする。横澤はポケットからハンカチを取り出して顔を拭《ふ》くと、一呼吸ついてトイレから出た。

「襟《えり》が濡《ぬ》れてるぞ。洗面所でちゃんと拭いてこい」

「触《さわ》るな」

伸《の》びてきた手を振り払《はら》い、さっきポケットに突《つ》っ込んだハンカチを取り出して襟元を拭く。

「そんなにぴりぴりしなくても、とって食ったりしねぇよ。少し意識しすぎじゃないのか？」

「意識なんかしてねーよ」

「そうか？」

思わせぶりな笑みが癇《かん》に障《さわ》る。そのくせ、その顔から何故か目が離《はな》せない自分もいて、横澤は一人戸惑《とまど》いを覚えた。

「さて、そろそろ帰るか。二日間も外泊《がいはく》するわけにはいかないからな」

桐嶋がカバンを手に、おもむろに席を立つ。その動きを見て、店員が預けておいた上着を持ってきてくれた。

「あ、ちょっと待て！　ここは俺が払う」

「もう会計はすませた」

「は？　おい、ちょっと待てよ。あんたに奢《おご》られる謂《い》われはない！」

「年下は素直に奢られておいたほうが可愛《かわい》いぞ」

店のドアを出た桐嶋は、振り返りもせずに地上への階段を上っていく。横澤はその後ろ姿を追いかけながら云い募《つの》った。

「可愛くなりたかねーよ！　割り勘《かん》にしろ！　ホテル代だってあんたが払ったんだろ？　俺はあんたにこれ以上借りを作りたくないんだよ！」

「いま金ないんだろ？　無理すんな」

「そういう問題じゃない！」

たしかにいまは財布《さいふ》の中身は心許《こころもと》ないけれど、だからと云って桐嶋に奢られて平気な顔でいられるほど図々《ずうずう》しい性格はしていない。

「そこまで云うなら、もらっとくか」

桐嶋から譲歩《じょうほ》が引き出せてほっとする。

「いくらだっ――――」

財布を懐から出しながら金額を確かめようとした瞬間《しゅんかん》、ネクタイを摑んで引き寄せられた。突然《とつぜん》のことに声を上げる間もなく、横澤は桐嶋にキスされていた。

「――――!?」

驚《おどろ》きに目を瞠《みは》る横澤の唇《くちびる》の隙間《すきま》から舌を捻《ね》じ込み、歯列をなぞる。ぞくぞくとわななく口腔《こうこう》を舐《な》め回されたかと思うと、巧《たく》みに舌を搦《から》め捕《と》られた。

息すらまともに継《つ》げないほど、乱暴に口腔を犯《おか》される。まるで、脳内を掻《か》き回されているかのような濃厚《のうこう》な口づけに終わりは見えない。

「ん、ぅ……んん……っ」

桐嶋のキスはやたら上手《うま》くて、腰《こし》が抜けそうなほどだった。突き飛ばしたくても、頭の芯《しん》が痺《しび》れ、金縛《かなしば》りにあったかのように体が動かない。

横を通りすぎていく酔《よ》っ払《ぱら》いの団体に囃《はや》し立てられたけれど、すぐに唇が離れていくことはなかった。

「……っは」

ようやくキスが解かれた頃には体中が甘く痺れ、一人ではその場に立っていられなかった。バーの看板がかけられた壁《かべ》で体を支え、痺れたままの唇で文句を云《い》う。

「何考えてんだ、こんなところで……っ」

濡れた唇を手の甲《こう》で力を込めて拭《ぬぐ》ったけれど、唇や舌に生々しく残った感触《かんしょく》を消すことはできなかった。真っ赤になって吠《ほ》える横澤を、桐嶋は鼻で笑う。

「こんなところじゃなきゃよかったのか？」

「いいわけねーだろ！　気色悪い嫌《いや》がらせしやがって……！」

「気色悪い？　腰抜かしておいて説得力ないぞ。いい大人なんだから、小娘《こむすめ》みたいに騒《さわ》ぐなよ。まさか、いまのがファーストキスとか云わないだろうな」

桐嶋の揶揄《やゆ》に一層顔が赤くなる。怒《いか》りや屈辱《くつじょく》感が綯《な》い交《ま》ぜになり、頭に血が上りすぎてまともに言葉も紡《つむ》げない。

「誰《だれ》が…っ」

「あんまり初々《ういうい》しいから、もしかしてと思ったんだが、違うんならよかった。さすがにファーストキスを奪《うば》ったんだとしたら、申し訳ないからな」

「……ッ」

「あ、俺帰りこっちだから。お前、地下鉄だろ？　今日は寄り道しないで、まっすぐ家に帰れよー」

「あんたに指図されたくない！」

「そうやってツンツンされると、ますますイジメたくなって困るだろ？」

「あんたなあ……っ」

完全に遊ばれている。桐嶋にしてみたら、自分などちょうどいいオモチャのようなものなのかもしれない。悔《くや》しいけれど、この状態では何を云っても負け犬の遠吠《とおぼ》えでしかない。

「じゃあな、気をつけて帰れよ。——あ、そうだ」

「何だよ」

「ごちそうさま」

「……っ、覚えてろよ！」

不敵な笑みと共に癇に障る一言を残して去っていった桐嶋に、まるで映画の中の小悪党のような罵声《ばせい》を投げつける。咄嗟《とっさ》にそんな言葉しか浮《う》かんでこなかった自分が情けない。怒りに震《ふる》えつつも、弱みを握《にぎ》られていることを考えると、屈辱に耐《た》えるしかなかった。

「ふざけやがって……」

握りしめる手の平がやたら熱い。鼓動《こどう》が速いのは、きっと滾《たぎ》る怒りのせいだ。遣《や》り場のない憤《いきどお》りを噛《か》みしめながら踵《きびす》を返し、早足で歩き出した。

2

「ちっ」

コミックス専門店をあとにして数歩歩いたところで、足の裏に微《かす》かな痛みを感じ、横澤は憎々《にくにく》しげに舌打ちをした。歩いているうちに、靴《くつ》の中に小石が入ったようだ。横澤は歩みを止めて、小石を取り除くために靴を脱《ぬ》ぐ。

左足だけで立ちながら、異物を排除《はいじょ》するために逆さまにして、ずいぶんと靴底《くつぞこ》が減ってきていることに気がついた。

週一で手入れをし、数足揃《そろ》えてローテーションで履《は》き替《か》えているけれど、毎日のように外回りに出ているとどうしても靴底が磨《す》り減ってきてしまう。

会社のロッカーに予備の靴を置いてあることを思い出し、いま履いている靴は、帰りがけに修理店へ預けていくことを決めた。

「また金がかかるな……」

ゆっくりと靴をアスファルトの上に置きつつ、乏《とぼ》しくなった財布の中身を思い返してため息をつく。貯蓄《ちょちく》に回している金に手をつけなければ、給料日まで持たないかもしれない。

今月はやたらと出費が多かった。部下の結婚《けっこん》祝いや友人の出産祝いなどのご祝儀《しゅうぎ》に加え、壊《こわ》れてしまった携帯電話《けいたい》の機種変更《へんこう》につき合いでの飲みの席が重なり、給料日までまだ一週間以上あるというのに、すでにかつかつだ。

そんな状況《じょうきょう》の中、失恋《しつれん》したからといって、一人で外で飲むなんて無謀《むぼう》すぎたとしか云いようがない。自棄《やけ》になるにもほどがある。

あの店に入らず、まっすぐ家に帰っていれば、厄介《やっかい》ごとに巻き込まれずにすんだはずだ。いまさらだということはわかっていても、後悔《こうかい》せずにはいられない。

「…………」

横澤にとって、高野は初恋《はつこい》のようなものだ。

大学に入って何となくつき合い始めた相手はいたけれど、その子が好きだったかと訊《き》かれたら、自信を持って頷《うなず》くのは難しい。友人として気心は知れていたし、一緒《いっしょ》にいて楽な相手だったけれど、浮き立つような気持ちを抱《いだ》いたことはなかった。

きっと、自分は恋愛《れんあい》に現《うつつ》を抜かすタイプではないのだろう。そう達観しかけていた頃《ころ》、高野と親しくなったのだ。

斜《はす》にかまえ、自暴自棄《じぼうじき》に遊んでいる高野には、最初近寄りがたかった。けれど、それが淋《さび》しさの裏返しだと気づき、放っておけなくなったのだ。

実際に話をしてみると、博学で趣味《しゅみ》も合い、会話は弾《はず》んだ。自分と話しているときの高野は、厭世《えんせい》的な仮面が剝《は》がれ、年相応の笑顔《えがお》を見せた。

それが嬉《うれ》しくて、高野とばかり過ごしているうちに彼女とも疎遠《そえん》になっていったけれど、そのときにはすでに高野を好きになっていたのだろう。

高野が酷《ひど》く荒《あ》れた夜、アルコールの勢いもあって一線を越《こ》えてしまった。高野が後悔していることを悟《さと》ると同時に、自分の気持ちを確信した。

『親友』として好きなわけではなく、彼に恋《こい》をしているのだと。それがまさか、こんな最悪の形でピリオドを打つことになるとは思いもしなかった。

「きゃっ、すみません！」

「いえ、こちらこそ」

考えごとをしながら歩いていたら、書店の紙袋《かみぶくろ》を胸に抱《かか》えた女子高生がぶつかってきた。友達との会話に夢中で、正面から歩いてくる横澤に気づかなかったようだ。ぼんやりしていた自分が恥《は》ずかしいのか顔を赤らめて、先に行ってしまった友達を追いかける。

どうやら、彼女たちは横澤が向かっている大型書店〈ブックスまりも〉から出てきたようだ。

あの紙袋の中身が、自分の売り込んだ本ならいいのにと思いながら、また歩き出す。

今日の目的は、新刊発売に合わせてのキャンペーンの打診《だしん》だ。

その作家の既刊《きかん》も合わせて並べてもらえれば御《おん》の字だが、平台のスペースには限度がある。いかに他社よりスペースを取ってもらうかが営業努力にかかっている。

「ん？」

〈ブックスまりも〉のコミックスコーナーに足を踏《ふ》み入れると、フロアの一番目立つところでディスプレイに精を出している派手な容姿をした店員の姿が目に入った。

まるで少女漫画《まんが》の画面から飛び出してきたようなキラキラとした雰囲気《ふんいき》を纏《まと》う彼は、この店の看板店員だ。書店員はアルバイトで、本業は美大生なのだと以前店長に教えられた。

王子様のような見た目に女性ファンがついているだけでなく、担当している少女漫画についての知識も豊富だ。

彼自身が元々少女漫画好きらしく、棚《たな》に飾《かざ》られたポップには彼の手による熱心な感想や推薦《すいせん》文が添《そ》えてある。そのためか彼が推《お》すコミックスは、どんなにマイナーな雑誌に載《の》った作品でも飛躍《ひやく》的に売り上げを伸《の》ばす。

各出版社の営業が自社の作品も取り上げてもらおうと売り込んでいる姿を何度も見かけたけれど、そのたびに彼は好きな作品を薦《すす》めてるだけで、売れたのはその作品の魅力《みりょく》によるものだと謙遜《けんそん》していた。

もちろん、魅力のない作品はどんなに推しても大勢に支持されることはない。けれど、魅力がある面白《おもしろ》い作品だからと云《い》って、それだけでたくさんの読者の許《もと》に届くものではないのもまた事実だ。

まずは書店で彼らの目に留まって、実際に手に取ってもらわなければ、その面白さを知ってもらうことすらできない。

だから、横澤たち営業は靴底を磨り減らして、自社の作品の魅力を知ってもらうために書店を回る。常にたくさんの本に触《ふ》れている書店員の眼鏡に適《かな》うことが大きな第一歩になるからだ。

「いらっしゃいませ——あ、お疲《つか》れさまです！」

横澤の気配に気づいた看板店員の雪名皇《ゆきなこう》が笑顔で振《ふ》り返る。自分にまで無駄《むだ》な愛嬌《あいきょう》を振りまく必要なんてないのだが、今日も無駄にきらびやかだ。

この長い睫毛《まつげ》に縁取《ふちど》られた色素の薄《うす》い瞳《ひとみ》で見つめられたら、さっきぶつかった女子高生たちなどは小遣《こづか》いの続く限り、何冊でもコミックスを買ってしまうに違《ちが》いない。

「お疲れ。店長に話があるんだが、今日はいるか？」

「しばらく前に奥に行きましたけど、呼びましょうか？」

「頼《たの》む」

爽《さわ》やかな笑顔で受け答えをし、レジの内側に内線電話をかけにいった。その間、改めて彼の手がけていたディスプレイを眺《なが》める。

今月の特集は『初恋』だそうだ。同じテーマを取り扱《あつか》っている作品が新旧取り揃えられている。その中に、丸川書店のコミックスも並んでいた。

「……懐《なつ》かしいな」

思わず手に取って見たのは、初めて高野が丸川書店で担当したコミックスだ。この本は人気の低迷していた作家の起死回生作となり、映画にもなった。それ以来、その作家は月刊エメラ

今月のお

ルドでは手堅《てがた》い人気を維持《いじ》している。

当時、そのコミックスを何が何でも売ってやろうと、横澤も奔走《ほんそう》した。休みには普段《ふだん》は足を運ばないような地域の書店を回り、暇《ひま》を見つけては営業の電話をかけた。努力が報《むく》われ、発売月の社内ランクで一位になったときは、二人で祝杯《しゅくはい》を挙げたものだ。

「すぐ来るそうですから、少し待っててもらえますか？」

「悪いな、手間かけて。そういやお前、大学は？　来るたび店にいるみたいだが、ちゃんと行ってんのか？」

ふと疑問に思ったことを口にした。バイトに精を出し、本を売ってくれているのはありがたいが、美大生は講義の他《ほか》に課題制作などで忙《いそが》しいものではないのだろうか。

「やだな、横澤さん。大学はもう春休みですよ。それに俺、けっこう成績もいいんですからね。ご心配なく」

「まあ、そのへんお前はそつがなさそうだよな。で、今月の新刊の動きはどうだ？」

「今月のラインナップの中では本条《ほんじょう》先生の新作が伸びてますね。新刊を買った子が翌日に既刊も買いに来てくれてますよ」

「へえ、それはありがたいな」

既刊まで手を伸ばしてくれているということは、それだけの引力が新刊にあったということだ。いささか絵柄《えがら》が地味な作家なのだが、漫画自体は面白い。読んでもらえれば、確実にファンが増えると確信していたけれど、実際に結果が出ると改めて嬉しい。

「あとは武藤《むとう》先生の先月の――あ、店長来ましたよ。詳《くわ》しいことは店長に聞いて下さい。俺、ディスプレイやんないといけないんで」

「わかった。色々とありがとな」

平台のディスプレイの設置に戻《もど》っていった雪名にひらひらと手を振り、小走りでやってきた店長の許へと、横澤も歩み寄る。

「横澤さん、お待たせしました！」

「お忙しいところ、お呼び立てして申し訳ありません」

「いえいえ、ちょうど戻ってくるところでしたから」

〈ブックスまりも〉では漫画好きの店長が、少年漫画の棚を担当している。彼と雪名のお陰《かげ》もあり、ここのコミックスフロアは都内一の品揃《しなぞろ》えだ。そのため、各社のコミックス担当はこの店を重点的に見ている。

しかし、商品が多いということは、それだけ目立ちにくいということでもある。だからこそ、目立つ場所に自社のものを置いてもらおうと、営業が足繁《あししげ》く通うのだ。

「先日は『ザ・漢』のコーナーを作っていただいてありがとうございました。お陰で予測よりもずいぶんと伸びがよくて、早速《さっそく》重版もかかったんですよ」

協力してもらったことによる結果を伝えると、店長は我がことのように喜んでくれた。

「本当ですか？　それはすごいですね！　映像化も決まってるとかで、この先の展開が楽しみですよ。そういえば、『ザ・漢』の次の新刊っていつなんですか？」

「本当はまだ情報公開はできないんですすが、ここだけの話、来週発売の雑誌で発売日が発表されるんで、よかったらまたコーナー作ってやって下さいよ」

近くにいる客に聞かれないよう、声を潜《ひそ》めて告げる。

「作ります作ります！　うわ、待ち遠しいなぁ。僕、『ザ・漢』は個人的にも大好きなんですよ！　雑誌でも読んでますけど、コミックスのカバー下がいつも楽しみで」

こうやって、書店員がファンになってくれるのは本当にありがたい。熱意の籠《こ》もった書店の棚は、ただ整然と陳列《ちんれつ》されたものに比べ、客に何かを訴《うった》えかけてくる。

良作だけれど、地味で目立たなかった本が、書店員の薦めるポップ一枚で皆《みな》の目に留まるようになり、ヒットした例も少なくない。

「そう云ってもらえるとありがたいです。担当に云って、著者にも〈ブックスまりも〉さんが力入れてくれてるって伝えておきます」

そう云いながら、『ザ・漢』の担当は誰《だれ》だったかと思い返し、少し嫌《いや》な気分になった。

伊集院《いじゅういん》の担当編集者は編集長の桐嶋だ。余計なことを云ったと後悔《こうかい》しかけたけれど、どうせ横澤が避《さ》けたところで、連れ回されることには変わりない。

「毎号楽しみにしてますって云っておいて下さい！」

「わかりました。きっと、先生も喜んでくれますよ」

胸の内を悟《さと》られないよう、横澤は営業用の笑《え》みを浮《う》かべた。


あの日以来、桐嶋と顔を合わせない日はなくなった。

何が楽しいのかわからないが、毎日のように食事に連れていかれる。初めのうちは驚《おどろ》いていた周囲も慣れてきて、いまでは桐嶋の居場所を訊《き》かれたりもするようになった。

横澤自身もずいぶんと慣れたけれど、未《いま》だに桐嶋の本意がわからなくて戸惑《とまど》うことも多い。

何を訊いても、のらりくらりと躱《かわ》され、曖昧《あいまい》な返答しかもらえない。

どんなに苛立《いらだ》っても、恥《は》ずかしい写真とやらを握《にぎ》られている以上、自分には下手《へた》な真似《まね》はできなかった。

隙《すき》を見て、携帯《けいたい》電話から削除《さくじょ》してしまおうかと思ったこともあったけれど、桐嶋が隙を見せることはなく、そんな横澤の考えも見抜《みぬ》かれているようだった。

営業部に戻る前に、新刊の動きが好調だったため、エメラルド編集部のある四階に報告に行くことにした。

エレベーターを降りた途端《とたん》、普段とは違う喧噪《けんそう》が耳に入ってきた。普段から静かな職場ではないけれど、今日はやたらと騒《さわ》がしい。

「どうかしたのか？」

「出張で高野さんと小野寺さん、ダブルベッドだったんですって！」

「はあ？」

近くにいた女性編集者に訊くと、嬉々《きき》として答えてくれたが、云《い》っている意味がまったくわからない。脈絡《みゃくらく》のなさに眉《まゆ》を顰《ひそ》めていると、詳しい説明をしてくれる。

「総務の子が間違《まちが》えて、ツインが取れなかったそうなんですよ。ベタな展開ですけど、王道は萌《も》えますよね～」

興奮している彼女の言葉はわかりにくかったけれど、何とか嚙《か》み砕《くだ》くことができた。

どうやら、昨日は高野と小野寺の二人で地方へ泊《と》まりがけの出張だったようだ。その際、総務が予約したホテルの部屋に手違《てちが》いがあり、ツインではなくダブルになっていたのだろう。

「小野寺くんはアンニュイな顔してるし、高野さんは夜に何があったのか教えてくれないし、怪《あや》しいと思いませんか⁉」

「…………」

鼻息の荒《あら》い問いかけに、返す言葉もない。エメラルド編集部のほうに目を向けると、いつものように小野寺が一人で騒ぎ、テンパっている彼を周囲がからかっている。

「律っちゃん、何かあった⁉」

「何かって何ですか！」

「すまない、小野寺。吉川千春《よしかわちはる》がネタに詰《つ》まっているので、それもらってもいいか？」

「やめて下さい！　何で受話器持ってんですか!!」

元々軽いノリをしている木佐《きさ》はともかく、普段は何ごとにおいても淡々《たんたん》としている羽鳥《はとり》まで食いついている。

入社当時は刺々《とげとげ》しい雰囲気《ふんいき》だった小野寺も、ずいぶんと馴染《なじ》んだものだ。すっかり編集部の一員になっている。からから周囲に右往左往している小野寺に、高野がとどめを刺《さ》した。

「好きにすればー」

「高野さん!!」

「あー、俺詳しく話聞きたいかも～」

美濃《みの》まで加わって、小野寺を追い詰めていっている。

「俺もー!!」

「おう、小野寺。たっぷり聞かせてやれ」

「で？　で？　律っちゃん、本当のところはどーなのさ」

追及《ついきゅう》の手を緩《ゆる》めようとしない木佐を横目に、横澤はその場を立ち去った。あの中に加わって、一緒《いっしょ》に騒ぐ気にはなれない。編集部を出る直前、近くにいた女性陣《じん》の会話が耳に入ってきた。

「偶然《ぐうぜん》から始まる関係もありよね～」

「ねえねえ、どっちが攻《せめ》だと思う？」

「もちろん、高野さんに決まってるじゃない！　小野寺くんじゃちょっと押しが弱そうだし」

女性編集者たちは、エメラルド編集部の様子を見ながら、きゃあきゃあと囀《さえず》って勝手な妄想《もうそう》を繰《く》り広げて喜んでいる。そういえば、このフロアにはBLレーベルのサファイア文庫の編集部もあった。

彼女たちにとって真実は、とくに重要な要素ではないのだろう。『妄想』だからこそ、他人《ひと》ごとで楽しむことができるのだ。

むしろ、高野たちが本当に特別な関係にあると教えたら、気安く騒いだりできないのではないだろうかと、つい意地の悪いことを考えてしまった。

「……アホらしい」

吐《は》き捨てるように呟《つぶや》き、降りてきたばかりのエレベーターへと戻った。乗り込んだ四角い空間で一人になり、うんざりとしたため息をつく。時間が経《た》ち、少しずつ癒《い》え始めていた胸の傷がまたじくじくと疼《うず》き始めていた。

一週間やそこらで、失恋《しつれん》が癒えきるはずもない。沈《しず》んだ気分で三階の営業部へと戻ると、そこも異様な雰囲気だった。しかし、先ほどの浮かれた様子は微塵《みじん》もなく、皆、慌《あわ》てた様子で電話をかけまくっている。

「どうしたんだ、逸見？」

「横澤さん！　どうして電話に出てくれないんですか！　何度もかけたんですよ!?」

逸見が横澤の顔を見た途端、泣きそうな声を上げた。

「悪い、気づかなかった。……で、何があった？」

「どうしたもこうしたもないですよ！　さっきから『ザ・漢《かん》』の問い合わせがひっきりなしに来てて……劇場公開日とかキャストとか、出てる情報は本当なのかって」

「はあ？　何でもう表に出てんだよ！　雑誌発売までは情報解禁しないってことになってたじゃねぇか！　いったい、どこから漏《も》れたんだ!?」

逸見から聞かされた情報流出に、横澤は目を吊《つ》り上げる。

「実は、書店に送ったファックスに書いちゃってて……」

「書店宛《あて》のファックス？」

「店頭に張り出されちゃってるみたいで、読者さんがそれを写真に撮《と》って、ネットに上げちゃってるんですよ。それで一気に広まったっぽいです」

つまり、劇場版アニメの情報解禁日を破って、事前に情報を書店に流してしまったということだ。さらに問題なのは、それが読者からの問い合わせで発覚したことだ。それまで誰も気づいていなかったなんて、間抜《まぬ》けにもほどがある。

その程度の情報が漏れたところで狼狽《うろた》えることはないと思われるかもしれない。けれど、どうやって売り出すかの戦略を練り、一年以上先までの計画も立てている。下手をすれば、皆が作りあげてきたものが、一瞬《いっしゅん》で台なしになってしまう可能性だってあるのだ。

社外へ流す書類の文面は、全《すべ》て横澤がチェックしている。自分がそんな重要な箇所《かしょ》を見落とすはずがない。急いでPCを立ち上げ、逸見からメールで送られた文書を開いて確認《かくにん》する。プロパティに記された日付に、横澤は小さく声を上げた。

「……あ……」

あの雨の日は——失恋した日は、いま思うと半ば上の空だった。

自分の惨《みじ》めさに苛立ち、同僚《どうりょう》の些細《ささい》な言葉に腹を立て、皆《みな》がまるで腫《は》れ物に触《さわ》るかのような態度で接してきた。それが横澤のささくれた気分をさらに苛立たせ、集中力を欠くことになったのだろう。

しかし、どんな云い訳をしようが、ミスはミスでしかない。普段《ふだん》、偉《えら》そうなことを云っているくせに、こんな基本的なミスを犯《おか》してしまうなんて、部下に示しがつかない。

「どうしましょう……」

「どうしようもくそもねえだろ。すまん、完全に俺のミスだ。お前は悪くない。とりあえず、編集部に謝罪に行ってくる」

後悔《こうかい》ならあとからいくらでもできる。いまは迷惑《めいわく》をかけてしまった各所に詫《わ》びをし、解決策を考え、今後の計画自体を練り直す必要がある。自己嫌悪《けんお》を噛みしめながら踵《きびす》を返したら、いまから会いにいかなくてはならない相手がそこに立っていた。

「き、桐嶋さん」

「話がある。ちょっと来い」

「……はい」

桐嶋に連れていかれたのは、空いていた小会議室だった。窓のないその部屋のドアを閉められると、心なしか息苦しく感じる。きっと、罪悪感と自己嫌悪のせいだろう。

「俺の話はわかってるよな？」

「……ああ。全て俺の不手際《ふてぎわ》だ。本当に申し訳ないと思ってる」

「横澤隆史ともあろう男が、つまらないミスするもんだな。偉そうなこと云ってても、お前も人間だったってことか」

「……っ」

悔《くや》しいが、反論できない。きっと、自分がミスを責め立てるほうなら、もっと辛辣《しんらつ》な言葉を吐いているだろう。云い訳をしたところで挽回《ばんかい》できるわけでもない。横澤は、桐嶋の言葉を甘んじて受けるしかなかった。

「もしかして、あの自棄酒《やけざけ》の理由が絡《から》んでるのか？」

「！」

図星を指され、思わず表情が強張《こわば》った。動揺《どうよう》を隠《かく》しきれなかった自分を恨《うら》んでも、もう遅《おそ》い。桐嶋は自分の指摘《してき》が真実だったことに気づいただろう。

「お前がプライベートを引き摺《ず》って、仕事の足を引っ張るなんて、回りのやつらは誰《だれ》も想像してないだろうな」

「……何とでも云《い》え。非難は甘んじて受ける」

淡々とした調子だが、桐嶋は怒《おこ》っているはずだ。一年以上かけて準備してきたことを、些細なミスで台なしにされたら誰だって腹が立つに決まっている。

自分が桐嶋の立場なら、烈火《れっか》の如《ごと》く怒っているはずだ。

彼が感情的にならないのは、年の功や元来の性格もあるだろうが、横澤にしてみたら、いっそキツく叱《しか》られたほうが気は楽だった。

「イタズラが見つかった小学生みたいな顔すんなよ。ちょっとイジメてみたかっただけだ」

「いじめて…?」

「別に怒ってないって云ってるんだよ。困ったことになったとは思ってるけどな。今回は反省してるならそれでいい。だけど、二度と同じ轍《てつ》は踏《ふ》むなよ。そのときは、お前の評価が地に落ちるってことを肝《きも》に銘《めい》じておけ」

「けど、それでいいってどうすんだよ。もう取り返しがつかないんだぞ!」

一度流れてしまった情報を回収するのは不可能だ。鷹揚《おうよう》にかまえている桐嶋に、横澤のほうが焦《あせ》りを感じてしまう。

「それなんだが、今回の件は、『先行告知』ってことにできないか?」

「先行告知？」

「ちょい出しで読者の興味を煽《あお》る目的だったってことにすれば、ある程度丸く収まるだろう。雑誌もコミックスも売らなきゃならんし、編集部にかかってきてる電話には、そっちに詳細《しょうさい》書いてあるからそれを見ろって答えさせてる。幸い、一番重要な情報は漏れてないしな。とりあえず、それで著者とアニメの製作委員会には納得《なっとく》してもらう」

桐嶋の提案に、横澤は唖然《あぜん》とする。まさか、編集部のほうから解決策を提示してくれるとは思いもしなかった。

「……もしかして、俺をフォローしてくれてんのか？」

「それ以外何があるんだ？　感謝しろよ。これで、また貸し一つだな」

正直なところ、これ以上桐嶋に借りを作るのは避《さ》けたい。けれど、いまは自分の意地やプライドに固執《こしゅう》している場合ではない。まずは目の前の問題を打開するのが先決だ。横澤は桐嶋に対し、素直《すなお》に頭を下げた。

「悪かった。本当にすまなかったと思ってる」

「悪かったと思ってるなら、もっと可愛《かわい》く」

「は？」

真摯《しんし》に謝ったのに、桐嶋は真顔でよくわからない要求をしてきた。

「ごめんなさい、だろ？　おら、云ってみろよ」

「誰が云うか！」

気持ち悪い声色《こわいろ》を使われ、鳥肌《とりはだ》が立つ。桐嶋が云っても気色悪いのに、この自分の見た目と声で可愛くなど云えるわけがない。耐《た》えきれず、横澤は逆ギレした。

「笑うな！」

一声吠《ほ》えると、桐嶋は弾《はじ》かれたように笑い出した。その態度に、ますます苛立《いらだ》ちを覚える。

「そうだよ。お前はそういう顔してろ。暴れ熊《グマ》が落ち込んでると、回りが調子狂《くる》うんだよ」

「え……？」

もしかして、慰《なぐさ》められたのだろうか。気づいた瞬間《しゅんかん》、カッと顔が熱くなった。気を遣《つか》われたことに対してと、そんなことで慰められてしまう自分が恥《は》ずかしい。

こちらに非があることを考えると、余計な真似《まね》をするなと云うわけにもいかず、慣れない状《じょう》況《きょう》にいたたまれなくなりながらも、押し黙《だま》っていることしかできなかった。

「とりあえず、営業のやつらには俺にこっぴどく怒られたってことにしとけ。この貸しは新刊と既刊《きかん》を予想の倍売ってくれりゃそれでいい」

「倍だと？　俺を誰だと思ってるんだ。云われなくたって、それ以上売ってやるよ」

啖呵《たんか》を切り、落ち着かない気持ちを吹《ふ》き飛ばす。

「その意気、その意気。あ、そうだ。今日の帰り、飯につき合え。今日は何があっても、六時までに仕事片づけておけよ」

「……わかった」

わざわざ念を押してくるということは、普段とは違《ちが》う何かがあるということだろう。一層立場の弱くなった横澤には、断るという選択肢《せんたくし》は残されていなかった。


「――で、どこに行くんですか？」

「着くまで秘密。世界一美味《うま》い飯食わせてやるから楽しみにしてろよ」

「はあ」

いつも以上に楽しそうな桐嶋に対し、横澤は気のない返事をした。食事ができるならどこでもいい。とは云え、桐嶋はどんどん駅から遠離《とおざか》っている。終業後、会社の最寄《もよ》りの地下鉄から電車に乗せられ、二十分ほどの駅で降りてから、また歩かされているのだが目的地がはっきりしない。

今日は汚名《おめい》返上しようとムキになって仕事していたら、五時半くらいに片づいてしまった。これではまるで桐嶋との約束が楽しみだったみたいではないかと嫌《いや》な気持ちになっていたところに、桐嶋からメールが入った。

『少し遅《おく》れそうだから、駅で待ってろ。早く出られるなら、抹茶《まっちゃ》ババロア三つ買っとけ』

文面を怪訝《けげん》に思いながら、云われたとおりに買っておいたのだが、結局手に提《さ》げているこれをどうするのかは訊いていない。

この抹茶ババロアは桐嶋が食べるのだろうか。しかし、これまでの食事の様子を思い返すが、甘いものが好きそうな様子は微塵《みじん》もなかった。

甘味好きだというのは似合わないから隠していたという可能性はあるが、いまのところ真実はわからない。

「こんな住宅街で飯？」

「いいから黙ってついてくればいいんだよ」

桐嶋が入っていったのは、普通《ふつう》のマンションだった。オートロックを暗証番号で開け、エレベーターに乗り込む。個人宅でやっているレストランなのだろうか。

いったい、どんな店なのか想像もつかないけれど、黙ってろと云われた以上、口を開くわけにはいかない。

「着いたぞ」

「ここって……」

このマンションはファミリータイプの間取りになっているのか、一部屋ずつに腰《こし》の高さまでの門扉《もんぴ》があり、足を止めた部屋の玄関《げんかん》前には水色の子供用の自転車が置いてあった。生活感溢《あふ》れるアイテムに、ますます疑問が膨《ふく》らんでいく。

どこかに店名でも書いてないだろうかと視線を巡《めぐ》らせた横澤は、無造作にかけてあった縄跳《なわと》び用の縄の下に、『桐嶋』と書かれた表札があるのを発見した。

「ここ、あんたの家か……？」

「そう。あんまり片づいてないけど、飯食う場所くらいはあるから心配するな」

自宅に連れてこられるとは想像もしていなかった。桐嶋は取り出した鍵《かぎ》で玄関を開け、明かりのついている部屋に声をかけた。

「ひよ、ただいま」

「おかえりなさい！　あれ、パパ、お客さん？」

「パパ⁉」

聞き慣れない単語に、思わず声が上擦《うわず》った。目の前の少女と桐嶋を交互《こうご》に見比べてしまう。ちっとも似ていないけれど、桐嶋の眼差《まなざ》しは誰《だれ》に向けているときよりも優《やさ》しい。

表の自転車は娘《むすめ》のものだったようだ。普通に考えたら予想がついてもおかしくはないが、桐嶋に対する印象のせいで、横澤の中で『父親』という可能性が思いつかなかった。

「悪いか、パパで」

「い、いや…そういうわけじゃないが……」

目の前にちょこんと立っているのは、十歳くらいのポニーテールの女の子だった。長い睫毛《まつげ》に縁取《ふちど》られた焦《こ》げ茶色の目は、瞬《まばた》きするたびに零《こぼ》れ落ちてしまいそうなほど大きく、丸い頬《ほお》は健康的なピンク色をしていた。

桐嶋の自宅に連れて来られたことにも驚《おどろ》いていたけれど、彼にこんな大きな娘がいたことにも驚いていた。動揺《どうよう》する横澤に、桐嶋は娘を紹介《しょうかい》してくる。

「これが娘の日和《ひより》、十歳。で、こっちのお兄さんが同じ会社で営業やってる横澤。こんな見かけだけど、まだ二十代だからな。くれぐれもおじさんって呼ぶなよ」

「わかった。横澤のお兄ちゃんって呼べばいい？」

「あ、ああ」

日和は戸惑《とまど》う横澤に対し、きちんと挨拶《あいさつ》をし、ぺこりと頭を下げた。

「初めまして、桐嶋日和です。パパがいつもお世話になってます」

「こちらこそお邪魔《じゃま》します、横澤隆史です」

つられるようにして、横澤も丁重《ていちょう》に挨拶する。日和が歳のわりにしっかりしていることに感心していると、桐嶋が混ぜっ返すように口を挟《はさ》んできた。

「日和、世話にはなってない。世話は俺がしてるんだ」

「パパ！　そういう大人げないこと云《い》わないの！」

「冗談《じょうだん》だって。そうだ、横澤、日和に土産《みやげ》あるんだろ？」

「え？　ああ、これ……」

さっき買わされたこの抹茶ババロアは、日和への土産だったようだ。桐嶋に促《うなが》されるままに

甘味亭
句問堂

日和に差し出すと、ぱっと明るい表情になった。

「わあ、抹茶ババロア！　私、これ大好き！　ありがとう、横澤のお兄ちゃん！」

「そうか、気に入ってもらえてよかった」

「冷蔵庫に入れておくから、あとでみんなでデザートに食べようね」

日和は横澤の渡《わた》した紙袋《かみぶくろ》を大事そうに抱《かか》えている。その様子を微笑《ほほえ》ましく見ていると、桐嶋がいつにないほど柔《やわ》らかな声で同意を求めてくる。

「ウチの日和、可愛《かわい》いだろ」

「パパってば！　そういう親バカなことも云わないでっ！　ご飯の支度《したく》してくるからビールでも飲んで待っててっ」

「はいはい、わかりました」

日和は桐嶋の言葉に照れて、キッチンに逃《に》げていってしまった。その後ろ姿に、横澤ですら口元を綻《ほころ》ばせてしまう。

「たしかに、あんたの娘とは思えないくらい可愛いな」

嫌みも込めて正直に告げると、桐嶋は普段《ふだん》のクールな態度からは想像できないほど嬉《うれ》しそうに相好を崩《くず》した。

「母親似だからな。絶対に嫁《よめ》にはやらん」

例に漏《も》れず、桐嶋も家に帰ればただの親バカのようだ。初めて見る桐嶋の父親の顔に、横澤はどう対応すればいいのかわからず、返答に困ってしまう。

「そういえば、奥さんは？　出かけてるのか？」

それまで失念していた妻の存在を思い出す。結婚《けっこん》指輪をしていて、娘がいるのだから、その母親もいるはずだ。そのとき、ふとあることに気がついた。

既婚《きこん》ということは、先日の横澤との関係は浮気《うわき》に当たるのではないだろうか。横澤にとっては不可抗力《ふかこうりょく》だったとは云え、桐嶋の妻に合わせる顔はない。罪悪感で胸を痛めていると、桐嶋が驚いた様子で教えてくれた。

「何だ、お前知らなかったのか？　ウチは母親はいないんだ」

「え？」

「云っておくが、離婚《りこん》したわけじゃないからな。日和が物心つく前に病気でな」

「……悪かった、無神経なこと聞いて」

桐嶋がさらりとした口調で告げてきたのは、相手に気負わせないためだろう。きっと、これまで何度も同じ質問をされてきたに違《ちが》いない。

「別に気にすんな。お前が入社した頃《ころ》の話だし、知らなくて当然だろ」

しかし、これで納得《なっとく》した。編集長だというのに校了《こうりょう》前以外は帰宅が早く、出社も早いのは娘の生活リズムに合わせているからだったのだろう。

「ちょっとは頭使え。この俺に嫁がいて浮気なんかするわけないだろ」

「……っ、指輪なんかして紛《まぎ》らわしいんだよ」

考えを見透《みす》かされたようで気恥《きは》ずかしい。しかし、横澤にいらぬ深読みをさせたのは、桐嶋の説明不足が原因だ。そういった意味を込めて文句を云ったのに、桐嶋からは斜《なな》め上の反応が返ってきた。

「何だ、妬《や》いてたのか。外して欲しけりゃ外してやるよ。作家に余計なこと訊《き》かれないようにはめてるだけだしな」

「誰もそんなこと云ってねーだろ！」

勝手に嫉妬《しっと》したことにするのはやめてもらいたい。一人で申し訳ない気分になっていた自分がバカみたいだ。

「照れなくたっていいだろ」

「照れてねぇよ」

からかってくる桐嶋をあしらうのにムキになっていたら、支度を終えた日和が待ちきれない様子で玄関を覗《のぞ》いてきた。

「パパー、横澤のお兄ちゃん、ご飯準備できたよー？　いつまで玄関なんかにいるの？」

「いま行くから、ちょっと待ってろ。おら、さっさと上がれ。ひよを待たせんな」

「あんたが立ち話を始めたんだろうが！」

自分のことを棚《たな》に上げて責めてくる桐嶋に嚙《か》みつき返す。笑ってごまかす桐嶋のあとに続き、リビングダイニングに足を踏《ふ》み入れた。

室内にはあちこちに日和の手によると思われる絵や工作が飾《かざ》られている。室内は明るいパステルカラーで彩《いろど》られていて、桐嶋のイメージからは懸《か》け離《はな》れた雰囲気《ふんいき》だ。

「一人っ子なら、普段はどうしてるんだ？」

「近所に俺の両親が住んでるから、遅《おそ》くなるときはそっちで面倒《めんどう》見てもらってる。俺の母親が飯作りに来てくれたりな」

「一緒《いっしょ》に住めばいいんじゃないのか？」

「そうすると、俺がもっと甘えそうだからな。いまの距離感《きょりかん》がちょうどいいんだよ。あ、お前の席はそっちな」

テーブルにつくと、いい匂《にお》いのするカレーの皿が置かれた。その匂いに刺激《しげき》され、空腹だったことを思い出した。今日の昼は、外回りの合間にコンビニエンスストアで買ったおにぎりを流し込むように食べたきりだ。

「横澤のお兄ちゃん、ビールでいい？　それとも、烏龍茶《ウーロンちゃ》？」

「ビール飲んどけ。明日休みなんだし、潰《つぶ》れたらウチに泊《と》めてやるよ」

「けっこうです。烏龍茶もらえるか？」

「えー、泊まっていけばいいのに……」

日和の残念そうな顔に胸が痛むが、桐嶋の自宅に泊まるのはやはり気が進まない。角が立たないよう、云い訳に飼い猫《ねこ》を使《か》うことにした。

「ウチで猫が待ってるんだ。また今度な」

「猫ちゃん飼ってるの？　名前は？」

日和が目を輝《かがや》かせて、猫という単語に食いついてきた。

「ソラ太《た》。最初はウチの猫じゃなかったんだけど、まあ、色々あってな。もう十歳超《こ》えてるから、じーさん猫だよ。猫、好きなのか？」

「うん！　大好き！　いいなあ……日和も飼いたいんだけど、パパが面倒見られないだろって云うの」

「ダメだとは云ってないだろ。一人で面倒見る自信があるならいいぞって云ったんだよ。パパは自分の面倒見るだけで精一杯《せいいっぱい》だからな」

不満そうな顔をしている日和が不憫《ふびん》になり、つい誘《さそ》うようなことを云ってしまった。

「じゃあ、今度ウチに会いに来るか？」

「いいの？」

日和が嬉しそうな笑《え》みを浮《う》かべた。名前のとおり、春の日なたのような笑顔で、見ている横澤の心まで温かくなる。

日和と関《かか》わるということは、桐嶋との関係が深まるということだ。あまり深入りしないほうがいいとわかってはいるけれど、こんな可愛い顔をされると何でもしてやりたくなる。

「俺はかまわないが、パパがいいって云うかわからないな」

「ねえ、パパ。横澤のお兄ちゃん家の猫さんに会いにいってもいい？」

「そうだな、三学期の通信簿次第《ぼしだい》かな」

甘えた口調でおねだりをする日和に、桐嶋も笑顔で条件を出した。

「う……じゃあ、がんばる……」

「簡単だろ？　算数だけ点数上げればいいんだから」

「パパには簡単かもしれないけど、ひよには難しいのっ」

どうやら日和は算数が苦手らしく、嫌《きら》いなものを我慢《がまん》して食べているかのような苦々しい顔をしている。その様子が不憫になり、つい口を出してしまった。

「それなら、俺が教えてやろうか？」

「ホントに!?　じゃあ、あとで今日の宿題教えて！　一個だけ、どうしてもわからない問題があるの」

「わかった。飯の礼に見てやるよ」

日和と約束を交《か》わす横澤に、桐嶋がツッコミを入れてくる。

「お前に勉強教えられんのかよ」

「大学のとき家庭教師のバイトもしてたから大丈夫《だいじょうぶ》だ」

厳しくて鬼《おに》のようだと生徒からは恐《おそ》れられていたけれど、成績は確実に上がるため、彼らの親たちには評判がよかった。

そもそも、厳しくするのは真面目《まじめ》に取り組もうとしない相手にだけだ。真剣《しんけん》に勉強する気がある相手を締《し》め上げても何の意味もない。

「お兄ちゃん、約束だからね！」

「わかったわかった」

まるで小枝のように細い小指と指切りする。ちょっとでも力を込めたら、簡単に折れてしまいそうで緊張《きんちょう》した。

「あっ、サラダ出すの忘れてた！　ちょっと待っててね」

「はいはい、慌《あわ》てて皿ひっくり返すなよ」

日和がキッチンに戻《もど》った隙《すき》に、桐嶋が軽口を叩《たた》いてくる。

「それにしても、お前、見かけによらず子供には好かれるんだな。もしかして、動物も寄ってくるタイプか？」

「子供と動物は中身を見るからだろ」

他《ほか》の動物と触《ふ》れ合ったことはないからわからないけれど、猫にも犬にも嫌われたことはない。怖《こわ》がって近づかないのは、人間の大人だけだ。

「それ、自分で見た目怖いって云《い》ってるのと同じだって自覚あるか？」

「うるせぇな」

強面《こわもて》で、声も怖いことも自覚している。だからと云って、自分ではどうすることもできない。無闇《むやみ》に笑っても気味が悪いと云われるだけだろうし、猫撫《ねこな》で声を出しても気持ち悪い。

「けど、ひよと気が合ってそうでよかった。連れてきた甲斐《かい》はあったな。よかったら、仲よくしてやってくれ」

「仲よくしていいのかよ。どうすんだ？　あの子が俺と結婚《けっこん》するとか云い出したら」

「そうだな、お前ホモだし、ひよの片想《かたおも》いになるな。けど、それも人生だ」

「だから、俺はホモじゃ――――」

「いい加減腹減ったな。ひよ、カレー先に食うぞー」

「いいよー。おかわりもあるから、いっぱい食べてね！」

「ほら、お前も食えよ。いただきます」

桐嶋に発言を遮《さえぎ》られ、消化不良気味だったけれど、それ以上に空腹だったため、大人しくスプーンを手に取った。

「……いただきます」

手を合わせてから、熱々のルーとご飯を一緒に掬《すく》い口に運んだ。具はチキンに人参《にんじん》にじゃがいも、そして、うずらの卵が入っている。日和に合わせてあるのか、ずいぶんと甘口だが家庭的な優《やさ》しい味がした。

自炊《じすい》はできるけれど、就職してからは以前のように家で食べることは少なくなった。簡単なつまみくらいなら作るけれど、専《もっぱ》ら外食ばかりだ。

体のためにはあまりよくないとわかっていても、面倒だと思う気持ちが先に立ち、キッチンに立つ気になれない。

学生の頃《ころ》は金がなかったというのもあるが、食べさせなければならないやつが傍《そば》にいた。だから、毎日ご飯を炊《た》き、バランスに気を遣《つか》った食事を用意していた。お陰《かげ》で料理の腕《うで》は上がったものの、いまではすっかり錆《さ》びついてしまっている。

「パパ、横澤のお兄ちゃん、ひよのカレー美味《おい》しい?」

キッチンからサラダを運んできた日和が、少し心配そうに訊《たず》ねてくる。

「ああ、美味しいよ。横澤、ひよの特製カレー美味《うま》いだろ?」

相好を崩《くず》した桐嶋に、思わず小さく笑ってしまう。会社の連中や担当作家たちは、ジャプンの編集長がこんな顔をするなんて想像すらしたことがないに違《ちが》いない。肩《かた》が震《ふる》えそうになるのを堪《こら》え、素直《すなお》に頷《うなず》く。

「たしかに世界一美味しい」

横澤の褒《ほ》め言葉に、桐嶋は破顔する。

「な? 俺の云ったとおりだろ」

「よかったあ! お兄ちゃんもいっぱい食べていってね!」

日和は桐嶋以上に喜び、満面の笑みを浮かべた。

3

「横澤さん、今日はまだ帰らないんですか？」

「ん？　あー、まぁな……。もう少しやっておきたいことがあるんだよ」

「そうですか。じゃあ、俺はお先に失礼します」

「お疲《つか》れ」

帰っていく逸見を見送った横澤は、細く息を吐《は》きながら椅子《いす》の背に体重をかけて寄りかかった。営業部に残っている社員はすでにまばらで、そのほとんどが帰り支度《じたく》をしている。

基本的に残業は推奨《すいしょう》されていないため、フロアの明かりもすでに半分以上落とされていた。

横澤が、こんな遅《おそ》くまで会社に残っているのは久しぶりのことだ。このところ、桐嶋からの指示で早く退社することが多かった。しかし、今日は迎《むか》えもメールも未《いま》だに来ていない。

「……そういや、校了日《こうりょうび》だっけか」

桐嶋がいつものように迎えに来ないのは、まだ雑誌が校了していないからだろう。忙《いそが》しいようなら、家に行くのは違う日に改めたほうがいいだろう。

初めて連れていかれた日から、桐嶋の家によく行くようになった。夕飯は日和が作って待っているときもあれば、桐嶋の母親が支度しておいてくれることもあった。まるで通うように頻《ひん》繁《ばん》に邪魔《じやま》しているため、いまでは日和ともすっかり仲よしだ。

今日はすでに日和への土産《みやげ》のお菓子《かし》も営業で外に出たときに買ってある。デパートの地下食品売り場で買ったカラフルなマカロンだ。

女の子はこういう可愛《かわい》いお菓子のほうが嬉《うれ》しいに違いない。日和への土産だけ預けて帰ろうと、自分から桐嶋のところへ行くことにした。

帰り支度をすませた横澤は、エレベーターで二つ上の階に上がった。

時間も時間なため、編集部は半分ほどが帰宅していた。発売日が違ったり、すでに校了を終えている編集部もあるためだ。

奥にあるジャプン編集部まで足を伸《の》ばすと、桐嶋は編集長のデスクで疲れた様子でゲラの確認をしていた。

「おい、まだ終わってねーのか？」

横澤が声をかけると、桐嶋は目頭《めがしら》を指で揉《も》み解《ほぐ》しながら、状況《じようきよう》を教えてくれる。

「俺だって、とっとと終わらせたいよ。一人、大幅《おおはば》に遅《おく》れたやつがいて、まだゲラが上がってこないんだ」

「何だそりゃ。そんなやつの原稿《げんこう》は落として、代原載《の》せりゃよかったんだ」

作家が締め切りを破れば、しわ寄せはそのあとの作業に来る。編集部、印刷所、下手《へた》をすると取次への納品も遅れるため、営業部でその後の対応をせざるを得ない場合も出てくる。

「そう云うな。作家だって、遅れたくて遅れてるわけじゃないんだ。サボって遅れたんなら、俺も待たないよ」

「何だ？　病気か？」

「飼い犬がな。急に具合が悪くなって、病院に連れてったりで作業が押したらしい」

「そんなの――――」

「わかってるよ、お前は甘いって云いたいんだろう？　けど、もし日和がって考えたら、他人ごとに思えなくてな。俺の判断で待つことにしたから、担当が終わったやつらは先に帰した。つき合わせるのも悪いだろ」

「…………」

普段《ふだん》の桐嶋の仕事ぶりは時間厳守で、かなりビジネスライクだと聞いている。そのくせ、作家に慕《した》われているのは、時折見せるこうした情の厚さ故《ゆえ》だろう。

どんなに偏屈《へんくつ》な作家でも、桐嶋の云うことだけは聞く。編集者としての能力を評価しているだけでなく、人としても信頼《しんらい》されているからに違いない。

「……ってわけで、すまんが先に家行っててくれるか？」

桐嶋はゲラを机の上に置くと、ポケットを探《さぐ》り家の鍵《かぎ》を差し出してくる。

「いや、今日は遠慮《えんりょ》しとくわ。ひよに土産だけ持って帰ってくれ」

「何か用事でもできたか？」

「用事って……あんたがいないのに、家に上がり込むわけにはいかないだろ」

桐嶋の母親ともすっかり顔なじみになったけれど、気安く訪ねるのは気が引ける。そもそも、毎日のように足を運ぶ理由はない。

「他《ほか》に予定がないなら、行ってくれると助かる。実は今日からウチの親が町内会の旅行でいないんだよ。だから、今夜は家にあいつ一人なんだ」

「なっ……それを早く云《い》え！　女の子を一人にしておくなんて何考えてんだ！」

日和が歳のわりにしっかりしているとは云え、まだ十歳の女の子だということには変わりない。セキュリティのしっかりしているマンションだから、防犯上は問題ないかもしれないけれど、やはり一人は心配だ。

傍《はた》から見たら、過剰《かじょう》な反応だと思われるかもしれない。しかし、子供が一人で留守番するということは大人が思う以上に心細さを感じるものだ。

横澤の両親は健在だが、共働きで子供の頃は『鍵っ子』だったから、一人で夜遅《よるおそ》くまで留守番をする淋《さび》しさはわかっている。

「仕方ないだろう、もっと早く終わると思ってたんだよ。遅くなるとは連絡《れんらく》してあるから、一人でどうにかしてるだろうが――」

「いいから、それを貸せ！」

桐嶋から鍵を引ったくるようにして奪《うば》い、踵《きびす》を返す。

「よろしく頼《たの》むな」

「ひよに俺が行くって電話入れとけよ！」

背中越《ご》しに怒鳴《どな》りつつ、横澤は桐嶋の自宅へと急いだ。


「いらっしゃい、お兄ちゃん！」

ウサギのキャラクターがプリントされたエプロンを身につけ、玄関《げんかん》で出迎《でむか》えてくれた今日の日和は左右に三つ編みのお下げをしていた。駅から走ってきた横澤が息を切らせているのを見て、不思議そうな顔をしている。

「お兄ちゃん、もしかして走ってきたの？　あっ、トイレに行きたかったとか？」

「……ひよが一人で留守番してるって云うから、急いで来たんだよ」

きょとんとした日和の顔を見ていたら、少し恥《は》ずかしくなってきた。いささか心配しすぎだったかもしれない。

「パパからお兄ちゃんだけ先に来るって電話あったけど、ひよのこと心配して来てくれたんだ。ひよなら一人でも大丈夫《だいじょうぶ》だよ。留守番も戸締《とじ》まりもちゃんとできるもん。でも、お兄ちゃんが来てくれてすごく嬉しい」

屈託《くったく》のない笑顔《えがお》につられて、横澤の表情も柔《やわ》らかくなる。

「一人の間、とくに変わったことはなかったか？」

「うん、全然平気。夕方までは由紀《ゆき》ちゃんちにいたから」

「由紀ちゃんっていうのは学校の友達か？」

「同じクラスで一番仲がいいの。同じマンションで一個上の階に住んでるんだ。今日はおやつに由紀ちゃんのママが作ったプリン食べたんだよ。それでね――」

日和は今日あった出来事を話したくて仕方ないようだ。父親の桐嶋に対しては遠慮があって云えないようなことも、横澤には教えてくれる。きっと、友達感覚でいるのだろう。

止め処《ど》ない日和の話を聞きながら、部屋に上がり、すっかり自分専用になったスリッパを履《は》く。気がついたら、この家には横澤のためのものが増えていた。箸《はし》も茶碗《ちゃわん》も、日和が横澤のために用意してくれていて、食卓《しょくたく》で座る席も自然に決まっていた。

「ああ、そうだ、これ土産な。走ってきたから中身が崩《くず》れてたらすまん」

手に提《さ》げていた土産のことなど、走っているときはすっかり忘れていた。多少、型崩《かたくず》れしているかもしれないが、マカロンなら食べられなくはないだろう。

「これ、何てお菓子？」

「マカロンっていって、フランスでよく作られてる菓子だと。色が綺麗《きれい》だから試《ため》しに買ってみたんだ」

「すごい可愛い！　食べちゃうのもったいないね」

日和が取り出した透明《とうめい》の箱にはリボンがかけられている。その中のマカロンは、あんなに手《て》荒《あら》く扱《あつか》われたというのに、幸いにも型崩れしていなかった。

「気に入ったんならまた持ってくるから、気にしないで食え」

「じゃあ、あとで一緒《いっしょ》に食べようね。お兄ちゃん、いつもありがとう」

「どういたしまして」

大丈夫、と云いつつもテンションが高いのは、淋しい気持ちを自覚していなかったせいかもしれない。親に心配かけまいと、子供は平気な顔をしたがる。そういうふうに装っているうちに、自分でも本当にそうだと思い込んでしまうのだ。

「――ひよは可愛いな」

日和の健気《けなげ》な様子に胸を打たれ、そんな言葉がぽろりと口をついて出た。横澤の褒《ほ》め言葉に、日和は照れて顔を真っ赤にする。

「えー、お兄ちゃん何云ってるの？　あっ、パパの口癖《くちぐせ》が移ったんでしょう！」

桐嶋に云われる以上に恥ずかしかったのか、挙動不審《ふしん》になっている。

「本当に思ってるから、可愛いって云ったんだよ」

「云わなくていいってば！」

むくれて頰《ほお》を膨《ふく》らませる様子がまた可愛くて、つい声を上げて笑ってしまった。こんなふうに笑うのは、本当に久しぶりだ。

「もう、笑うなんて酷《ひど》い!」

「悪い、悪い。悪かった。……そういや、エプロンしてるってことは、何か作ってたんじゃないのか?」

わざとらしい話題転換《てんかん》だったが、日和ははっとした顔をする。

「そうだった! いまね、夕ご飯作ってたの! まだお野菜剝《む》いてるところなんだけど、お兄ちゃんも食べていくでしょ?」

「何を作ってたんだ?」

日和は十歳にしては、料理はかなりの腕前《うでまえ》だ。祖母が食事の支度《したく》をするときはいつも手伝っているらしい。

「今日は家庭科の授業で習った肉じゃが! 授業で上手《うま》くできたから、一人でも作れると思って。お肉もちゃんとスーパーで買ってきたんだよ」

「それは楽しみだな。よければ、俺も手伝おうか?」

一人でも作れるのだろうが、二人でやったほうが早くでき上がるはずだ。

「本当に? お兄ちゃん、料理できるの?」

「何云ってる。これでも一人暮らしは長いんだ。一通りのものは作れる。今度、豚《ぶた》の角煮《かくに》作って持ってきてやろうか?」

「すごい！　食べたい！　いいなぁ、ウチのパパ、料理は全然だから。リンゴの皮も剝けないんだよ」

初めて聞く父親への愚痴《ぐち》かもしれない。そういえば、桐嶋がキッチンに立っている姿はこれまで一度も見たことがない。せいぜい、冷蔵庫に缶《かん》ビールを取りにいくくらいのものだ。

「それは酷《ひど》いな。ひよはカレーも上手に作ってたが、誰《だれ》に料理を習ったんだ？」

「お祖母《ばあ》ちゃん。いつもお手伝いしてるんだ。あ、そうだ、お兄ちゃん、プリンとかは作れる？」

今日、友達の母親が作ってくれたプリンが、よほど美味《おい》しかったのかもしれない。

「プリンなんか簡単だろ。混ぜて蒸《む》すだけなんだから」

「すごーい！　今度教えて‼」

プリンは作ったことはないが、茶碗蒸《ちゃわんむ》しなら作ったことがある。それと同じような要領で作れるはずだ。今度、レシピを調べておこうと考えつつ、日和に当初の目的を思い出させる。

「そのうちな。今日は肉じゃが作らないと、夕飯にありつけないぞ」

いま冷蔵庫にある材料で作れるとは思うが、夕食をプリンですませるわけにはいかない。

「あ、そっか。ひよもお腹《なか》空いてきた。あっ、そうだ！　お兄ちゃん、ちょっと待ってて」

「ん？」

日和はそう云って自分の部屋へと駆《か》けていく。しばらくして、何か赤いものを胸に抱《かか》えて戻《もど》ってきた。

「お兄ちゃん！　エプロンあったほうがいいでしょ？　はい、これ貸してあげる」

「ありが……」

日和に差し出されたのは、フリルのついた赤地に白いドットが散ったエプロンだった。エメラルド編集部を思い出す可愛《かわい》らしさだが、日和ならともかく横澤に似合うとは思えない。それを身につけた自分の姿を想像するだけで、眉間《みけん》の皺《しわ》が深くなる。

「パパが日和のお誕生日に買ってくれたんだけど、サイズが大きくてまだ使えないの。お兄ちゃんにはちっちゃいかもしれないけど、エプロンはこれしかなくて……」

「ひよがもらったプレゼントなら、汚《よご》したらもったいないだろ」

「エプロンはお洋服を汚さないようにつけるんだよ。使わないほうがもったいないよ」

せっかく日和が貸してくれるというのだから、断るのも悪い。桐嶋に見られるわけでもないし、逡巡《しゅんじゅん》した末、遠慮《えんりょ》なく借りることにした。

「じゃあ、遠慮なく借りるな。似合わなくても笑うなよ」

念を押しながら、日和のエプロンを受け取った。

「よく寝《ね》てる」

日和の部屋からそっと出てきた桐嶋が、ソファでビールを飲んでいた横澤にそう報告しながら、隣《となり》に腰《こし》を下ろした。

「今日はずいぶんはしゃいでたからな」

一緒に食事をしたあと、風呂《ふろ》に入れ、宿題も見てやり、なかなか帰ってこない父親に代わって寝かしつけた。日付が変わろうかという頃《ころ》、やっと桐嶋が帰宅した。

校了《こうりょう》明けのわりに桐嶋にはあまり疲《つか》れた様子がなく、不思議と機嫌《きげん》がよかったことが気になったけれど、疲労《ひろう》のせいでテンションが上がっているだけかもしれないと思い、敢《あ》えて訊《たず》ねはしなかった。

「今日は助かった、ありがとう。何か困ったこととかなかったか？」

「飯も美味《うま》く作れたし、宿題もすませたし、何の問題もない。ついでに俺も一仕事終わらせたしな」

日和を寝かしつけたあと、持ち帰ってきた書類仕事をやりながら桐嶋の帰りを待っていた。座り心地《ごこち》のいいソファのせいで、途中《とちゅう》うとうととしてしまったけれど。

「俺なんかより、よっぽどお前のほうが父親っぽいな」

「あんたは所帯くささが足りないだけだろ」

教えられなければ、結婚《けっこん》していて、子供がいるようには見えない。

はめたままの結婚指輪を作家対策と云《い》っていたけれど、それはこれまでに少なからず云い寄られたことがあるということだろう。

「その点、お前は妙《みょう》に落ち着いてるよな」

「悪かったな、歳のわりに老けた外見で」

「褒めたんだよ。浮《うわ》ついてるように見えるより、いいと思うがな。ひよだってお前のことは頼《たよ》りにしてるだろ？」

「まあ、な」

日和のことを持ち出されると、いつものように突《つ》っ張れなくなる。横澤が黙《だま》り込むと、桐嶋も急に静かになった。

いつまでも沈黙《ちんもく》が続くかと思ったが、桐嶋は神妙《しんみょう》な顔になって訊《き》いてきた。

「……日和、何か云ってたか？」

「何かって？」

「留守番が嫌《いや》だとか、淋《さび》しいとか、そういうことをお前になら云ったりしてるかなと思ってな。俺には心配させないように、何も云わないから」

桐嶋も、世間並みの父親らしい悩《なや》みを抱えていたようだ。

「淋しいって言葉は一言も云わなかったな。一人で大丈夫《だいじょうぶ》って、何度も云ってたぞ。そういや、由紀ちゃんちのママに手作りプリンを食べさせてもらったって云ってた」

もしかしたら、あの発言は友達のことを無意識に羨《うらや》ましく思っていたためのものだったのかもしれない。

桐嶋も横澤と同じように考えているのか、心なしか気落ちした表情を浮《う》かべていた。

「……そうか」

「あんたも気にしてるんだな」

「当たり前だろ。俺がもっと早く帰れる仕事をしてりゃいいんだが、転職するにしたって編集者ってのは他《ほか》じゃ潰《つぶ》しが効かないしな」

「あんたは充分《じゅうぶん》がんばってるだろ。どんな仕事だって、どうしても遅《おそ》くなる日がある。子供だって云われないでもわかってる。かまってやれる日にかまって、気にかけてることを伝えてやればそれでいいんだよ」

桐嶋は幽霊《ゆうれい》に遭遇《そうぐう》したかのような顔で、横澤を見つめていた。

「驚《おどろ》いたな。お前に慰《なぐさ》められるとは」

「別にあんたのために云ったわけじゃねーからな！　俺はただ、ひよの気持ちを代弁しただけで……」

「お前も淋しい子供時代を過ごしてたのか？」

「……両親共働きで鍵《かぎ》っ子だったってだけだ」

一人の時間は淋しかったけれど、本を読んでいる間だけはそれを忘れられた。

両親も本を与《あた》えていれば大人しくしているとわかってからは、食事代の他に本を買うための小遣《こづか》いをくれるようになった。

愛情は感じていたし、仕事が忙《いそが》しいことも理解していた。邪魔《じやま》にならないよう聞き分けよくしているのが、自分の役割だと思っていた。

それでも、話を聞いて欲しいと思うことがなかったわけではない。

大人にしてみたら他愛《たあい》のない話かもしれないけれど、その日見つけたことや新しく習ったこと、読んだばかりの本の感想など、少しでいいから耳を傾《かたむ》けて欲しかった。

その点、桐嶋は立派だと思う。

宵《よい》っ張りになりがちな編集業なのに、きっちりと時間を管理し、普段《ふだん》は六時には仕事を終わらせて帰っている。そのくせ、仕事量は人よりも多く、担当する作家はそれまでどんなに低迷していても確実に売り伸《の》ばすのだからすごい。

幾分《いくぶん》、性格の悪いところはあるけれど、それはいまのところ横澤に対してだけのようだし、部下や作家には信頼《しんらい》されているようだ。

「だから、面倒見《めんどうみ》がいいのかね」

「さあな」

お節介《せつかい》なのは、元々の性格なのか、それとも育った環境《かんきよう》によるものかは自分でもよくわからない。ただ料理の腕《うで》が上がったのは、環境が大きく作用しているのだろう。

「そういえば、あんた飯はどうしたんだ？」

「食ってない。もう腹減って死にそうだ」

「ゲラ待ってるだけなら、会社で何か取って食えばよかっただろう」

出前でなくても誰《だれ》か一人を買い出しに行かせれば、一先《ひとま》ずの空腹は凌《しの》げたはずだ。呆《あき》れた眼《まな》差《ざ》しを送る横澤に、子供のような云い分を返してきた。

「ひよとお前が作った肉じゃがを美味《おい》しく食べるために、我慢《がまん》してたんだよ」

「何も腹いっぱい食ってこいって云ってるわけじゃ……って、何で肉じゃがだって知ってるんだ？」

「ひよからメールが来た。『お兄ちゃんといっしょに肉じゃが作ってます』って。お前と料理できたのが嬉《うれ》しかったみたいだぞ。お前、料理できるんだな。びっくりした」

日和がメールを打っていたことには全然気がつかなかった。桐嶋にはあまり知られたくなかったけれど、日和の気持ちを考えると責められない。

「料理くらいできないほうがおかしいだろ。そういや、パパはリンゴもまともに剝《む》けないって、ひよが云ってたぞ」

「リンゴなんて、そのまま齧《かじ》ればいいんだよ。それに父親が何もできないほうが、覚えが早くていい」

胸を張って云っているが、つまりは反面教師ということだ。親としてあまり褒《ほ》められたことではないが、このいい加減さが上手《うま》く作用しているのかもしれない。

「てきとうなこと云ってんな。ひよが結婚して、この家出ていったらどうするんだ」

桐嶋は日和が嫁《よめ》に行くことになったら、どんな顔をするだろう。表向きは飄々《ひょうひょう》とした顔で、裏でこっそりと泣くタイプだろうか。もしかしたら、人目も憚《はばか》らず号泣《ごうきゅう》するかもしれない。

「そしたら、お前に食わせてもらうかな。プリンも豚《ぶた》の角煮《かくに》も楽しみにしてる」

「はあ？　俺はひよに作ってやるって云ったんだよ！　何で、あんたに食わせなきゃいけないんだ」

いったい、日和はどこまでそのメールに横澤のことを書いたのだろう。桐嶋がいないからといって、気を抜《ぬ》きすぎたかもしれない。

「何でって俺が食いたいからに決まってるだろう」

「開き直るな！　ていうか、何笑ってるんだよ。気持ち悪ぃな」

「別に」

「云いたいことがあるなら、はっきり云えよ」

どう控《ひか》えめに表現するとしても、悪巧《わるだく》みをしているような顔だ。睨《にら》みつけても、まったく意に介《かい》そうとしない。

「秘密。お前に知られたら、絶対怒《おこ》られるだろうし。怒らないっていうなら、云ってもいい」

「……アホらしい」

わざとふざけているかのような桐嶋には、いつまでもつき合っていられない。煙《けむ》に巻かれるくらいなら、相手をしないほうがいいだろう。

「何だ、知りたくないのか？」

興を削《そ》がれた様子の桐嶋に、自らが云われた言葉と同じものを返す。

「別に。じゃあ、俺帰るわ。飯は自分で何とかしろ。リンゴが剝けなくても、味噌汁《みそしる》温めるくらいはできるだろ」

桐嶋は帰宅し、日和ももう眠《ねむ》っている。横澤に、いつまでもこの家にいる理由はない。

「泊《と》まっていけば？　客間の布団《ふとん》、お袋《ふくろ》が干しておいてくれたみたいだし」

「バカ云え、ウチには猫《ねこ》がいるんだよ。手がかかんないっつっても、放っておくわけにはいかねーだろ」

日和と同じような歳だけれど、猫としてはすでにシニアだ。大人しく、手のかからない性格だけれど、猫だって留守番が淋しくないわけではない。

「そうだったな。悪かったな、こんな遅くまでいてもらって。マジで助かった」

さっきとは打って変わった真面目《まじめ》な口調で礼を云われて、無性《むしょう》に気恥《きは》ずかしくなった。照れ隠《かく》しに、素直《すなお》ではない言葉で混ぜっ返してしまう。

「あんたのためじゃなくて、ひよのためだからな。勘違《かんちが》いすんなよ」

「わかってるよ。それでも、ありがとう」

「……っ」

どうしても桐嶋の笑顔《えがお》がまっすぐ見られない。いつもとは違《ちが》う空気が漂《ただよ》っているこの部屋から、横澤は早くいなくなりたかった。

「邪魔したな」

そそくさとコートを羽織り、帰り支度《じたく》を始めた横澤に、桐嶋も腰《こし》を上げる。

「おい、もう終電ないだろう。車で送ってやろうか？」

「タクシーで帰るからいい。つーか、ひよを一人にするつもりか」

「そういや、そうだな。なら、これ持ってけ。子守代だ」

「俺は別にそんなつもりで――」

桐嶋が財布《さいふ》から差し出してきた札を断ろうとすると、無理矢理《むりやり》押しつけられた。

「いいから使え。家で猫だって待ってるんだろ？　早く帰ってやれ。気兼《きが》ねするんなら、俺の作った本をばりばり売って、俺のボーナスが上がるようにしてくれ」

「……わかったよ」

頑《かたく》なに固辞するのも大人げないと思い、渋々《しぶしぶ》受け取った。

「じゃあな、気をつけて帰れよ。おやすみ」

「お、おやすみ」

見送る桐嶋の視線から逃《のが》れるように、そそくさと部屋をあとにする。早足でエレベーターホールまで行き、落ち着かない気分でボタンを連打した。

「何だ、これ……」

さっきから鼓動《こどう》がやたらと早鐘《はやがね》を打ち始め、何故《なぜ》か全身が熱い。握《にぎ》りしめた手の平もじっとりと汗《あせ》ばみ、視線の先も定まらない。

何よりも、不整脈を刻む自分の心臓が不可解で、横澤は眉間《みけん》の皺《しわ》を深くした。

4

着いたばかりの満員電車からホームへと押し出されると、一週間が始まったことを実感する。似たようなスーツを身につけ、各々《おのおの》の会社へ向かう人波を眺《なが》めながら、横澤も流れに乗った。

月曜日の朝は毎週憂鬱《ゆううつ》だ。仕事が嫌《いや》なわけではないけれど、二日も休んでしまうと、出勤が億劫《おっくう》になる。その上、週始めは会議も多いため、どうしても気が重くなるのだ。

それぞれで情報を共有し、意見を交換《こうかん》し合うことは必要だ。しかし、せっかちな横澤の性格上、それが面倒《めんどう》に感じるときもある。

全員が同じモチベーションで動いているわけではないし、ペース配分だって違って当然だ。足並みを揃《そろ》えることがいい方向に働く場合もあれば、足枷《あしかせ》になることだってある。

椅子《いす》に座って話し合ってるくらいなら、書店を一軒《いっけん》でも多く回ったほうが有意義なのではないかと苛立《いらだ》つことも少なくない。

とは云《い》え、丸川書店は比較的《ひかくてき》自主性を重んじてくれている会社ではあると思う。そうでなければ、横澤のような出すぎる人間はとっくに排除《はいじょ》されているだろう。

年齢《ねんれい》を重ねてようやく、いくらかは自分を客観的に見られるようになってきた。上の人間から見たら、まだまだ青いと云われるだろうけれど、これでもずいぶん丸くなってきたのだ。十代の頃《ころ》の自分からしたら、営業先で愛想《あいそ》笑いを浮《う》かべている姿など想像もつかないはずだ。

コンビニエンスストアで朝食を買い込み、通い慣れた坂道を上っていく。ゆっくり歩く女性を大股《おおまた》で追い抜き、本社ビルの自動ドアをくぐった。

会社の顔である受付には、完璧《かんぺき》にメイクした女性社員が二人座っている。彼女たちには常に髪《かみ》一本の乱れもなく、いつも同じ笑顔を浮かべて社員や来客を出迎《でむか》える。しかし、今日はその笑顔に含《ふく》みのようなものが感じられた。

「あっ、横澤さん！　おはようございます」

「おはようございます」

物云いたげな視線を向けてくる受付嬢《じょう》に怪訝《けげん》な眼差《まなざ》しを返す。こんな笑い方をつい最近どこかで見た気がするが、思い出せない。

「おはよう。……何か、俺の顔についてるか？」

いまの『あっ』は、いったいどういう意味が含まれていたのだろうか。気になって横澤が問うと、彼女たちは取り繕《つくろ》うように、いつもどおりの微笑《ほほえ》みを浮かべ直した。

「い、いえ、何でもありません」

「？」

喉《のど》の奥に魚の小骨が引っかかったような小さな違和感《いわかん》を覚えながらも、しつこく問い詰《つ》めるほどのことではないと思い、それ以上追及《ついきゅう》することなく受付前を通りすぎた。

エレベーターを待つ編集者の後ろに立ち、扉《とびら》が開くのを待つ。待ち時間が手持ち無沙汰《ぶさた》だったため、携帯《けいたい》電話に届いていたメールを確認《かくにん》していると、不意に彼らの会話が耳に入ってきた。

「そういえば、桐嶋さんに見せてもらった写真が忘れられなくてさあ」

「マジびっくりしたよな。残業続きで眠くて仕方なかったのに、あれで目ぇ覚めたよ」

「何つーか、横澤さんの意外な素顔《すがお》発見って感じだよな」

ただの雑談だろうと聞き流していた横澤は、会話に出てきた自分の名前に眉《まゆ》を顰《ひそ》める。彼らはたしかにいま、『写真』と云っていた。

桐嶋が持つ横澤の写真というと、あの夜に撮《と》られ、脅《おど》しのネタにもされている例のものしか思い浮かばない。そんなものを桐嶋が見せたとは思いがたいが、黙《だま》って見逃すわけにもいかなかった。

「おい、俺が何だって？」

「うわっ、横澤さん⁉」

背後から声をかけると、彼らはぎょっとした顔で振《ふ》り返った。一人は青ざめ、もう一人は逃《に》げ腰《ごし》の態勢になっている。

「どんな写真を見せられたって？」

「な、何でもありませんって！」

「何でもないなら、どうしてそんな顔してんだよ」

「それは、その……」

「はっきり云え」

低く唸《うな》ると、二人とも怯《おび》えてびくりと肩《かた》を竦《すく》ませた。睨《にら》みを利《き》かせると、云い訳をするように状況《じょうきょう》を説明し始めた。

「俺らが勝手に見たわけじゃないですからね！　先週、桐嶋さんが見せびらかしてたんですよ。いま、ウチで横澤さんがご飯作って待っててくれてるって……」

「は？」

「それで、娘《むすめ》さんからのメールについてた横澤さんの写真を見せてもらって……赤いエプロンして料理してるやつを……」

語尾《ごび》がだんだん小さくなっていく。それ以上聞かなくても、その写真がどこから流出したものかは調べなくてもすぐにわかる。何故なら、この写真を撮れる立場にいたのは、一緒《いっしょ》にキッチンに立っていた日和しかいないからだ。

何てことをしてくれたんだと途方《とほう》に暮れるが、日和に悪気がないことはわかっているので怒《おこ》りきれない。許しがたいのは、それを流出させた犯人のほうだ。

金曜の夜に帰宅した桐嶋がやけに機嫌《きげん》がよかったのは、きっと、その写真のせいだったのだろう。ニヤニヤと嫌な笑いを浮かべながら、もったいぶっていた理由がいまになってわかった。

何も知らず、桐嶋のことをいい父親だと見直して損をした。与《あずか》り知らぬところで、自分を笑いものにしていたことに怒《いか》りを滾《たぎ》らせる。

「お、俺たちが悪いわけじゃないってわかってもらえましたか…?」

「いますぐ忘れろ」

おずおずと横澤の顔色を窺《うかが》ってくる二人をぎろりと睨みつけて、地を這《は》うような声で記憶《きおく》の消去を命じる。

「え、でも、忘れろって云ったって……」

「つべこべ云うな。自分でできないなら、俺が忘れさせてやろうか?」

拳《こぶし》を握りしめ、顔の高さまで持ち上げると、素直《すなお》な言葉が返ってきた。

「いえ! 大丈夫《だいじょうぶ》です!」

「他《ほか》のやつにもそう云っとけ。その話を口にしたやつは、作った本が売れねえようにしてやるからな」

「は、はい!」

二人が背筋を伸《の》ばした瞬間《しゅんかん》、エレベーターが一階に到着《とうちゃく》し、扉がゆっくりと開いた。先に待っていたにもかかわらず、彼らは素早《すばや》く左右に避《よ》けて横澤に譲《ゆず》る。

「お先にどうぞ!」

「お前らは乗らないのか?」

「ええと、俺、コンビニに寄るの忘れてて、ちょっと出てきます」

「あ、お、俺も昼飯買ってなかったんで行ってこようかな……」

二人とも、逃げるようにして会社の外へ出ていってしまった。横澤は一人でエレベーターに乗り込み、小さく舌打ちをした。

「……ったく」

きっと、受付嬢が含み笑いをしていたのは、横澤のエプロン姿の写真を見せられたからだろう。この時間なら、桐嶋はすでに出社しているはずだ。文句を云いに行くために、営業部のある三階ではなく五階を目指した。

フレックスが許されている編集者は、この時間はほとんど出社していない。下手《へた》をすると、午後にならないと来ない者もいる。横澤はエレベーターを降りると、まだ人気《ひとけ》のない少年漫画《まんが》のフロアに足を踏《ふ》み入れ、奥にあるジャプン編集部に向かった。

校了《こうりよう》明けの週始めのためか、出勤してきているのは、いまのところ桐嶋ただ一人だけだった。

「おはよう、ずいぶん早いな」

「あんた、何考えてんだ！」

挨拶《あいさつ》を返す代わりに感情に任せて怒鳴《どな》りつけると、広いフロア中に横澤の声が響《ひび》き渡《わた》った。誰《だれ》もが竦み上がる怒声《どせい》にも、桐嶋は飄々《ひょうひょう》と涼《すず》しい顔をしている。

「朝っぱらから元気だな。大声を出すと、頭に血が上るぞ」

「誰のせいで頭に血が上ってると思ってんだ！　てめぇ、勝手に人の写真を見せてんじゃねぇよ!!」

「あー、あれか。可愛《かわい》かったから、つい。自慢《じまん》しようと思って加藤《かとう》に見せてたら、みんな集まってきちゃってさ」

「ついじゃねえよ、ついじゃ！　つーか、受付にも見せただろう!?」

「そういや、さっき自慢しといた。ひよがさ、わざわざメールしてくれたんだよ。今日の夕ご飯は横澤のお兄ちゃんと肉じゃが作ってるからお仕事がんばってって」

「だからって……！」

「ほら、待ち受けにもしてる」

桐嶋は自身の携帯電話を開き、その画面を見せてくる。そこに映し出されていたのは、赤地に白の水玉のエプロンをつけて料理をしている横澤の写真だった。

「やめろ!!　何の嫌《いや》がらせだ!?」

手には包丁を握《にぎ》り、慣れた様子でじゃがいもを剝《む》いている。これを社内の人間に見られたのかと思うと、頭が痛くなる。

そもそも、この写真のどこが可愛いと思えるのか、横澤には桐嶋の感覚が理解不能だった。

「これは純粋《じゅんすい》に俺の趣味《しゅみ》だ。いいじゃないか、可愛いんだし。これのお陰《かげ》で校了乗り越《こ》えられたんだぞ」

「知るかそんなこと！　そういう問題じゃ——」

人が入ってくる気配を感じ、云《い》いかけた言葉を飲み込んだ。桐嶋とやり合っているところを見られたら、次はどんな噂《うわさ》を立てられるかわからない。

「桐嶋さん、おはようございます」

「おはようございまーす。あれ、横澤さん？」

アニメ情報雑誌の女性編集者が二人、朝食を手に出社してきた。横澤の姿を見つけた途端《とたん》、饒舌《じょうぜつ》に語りかけてくる。

「横澤さん、見ましたよー！」

「金曜の夜に珍《めずら》しくニヤニヤしながら携帯《けいたい》見てるから、何かと思ったら横澤さんの写真なんですもん。びっくりしましたけど、赤いエプロンがすっごい似合ってて可愛かったです！」

「かわ……」

無邪気《むじゃき》な言葉に、軽い目眩《めまい》を覚えた。桐嶋に云われるのはだいぶ慣れたけれど、女性から『可愛い』と形容されたのは、生まれて初めてのことだ。

横で明後日《あさって》の方向に視線を投げて素知らぬふりをしている男を睨《ね》めつける。

「おい、あの写真、いったい何人に見せたんだ……」

「ん？　よく覚えてないな。気がついたら後ろに鈴《すず》なりになってたから、残ってたやつらはみんな見たんじゃないか？」

「あんたなぁ……！」

人目も憚《はばか》らず、桐嶋を怒鳴りつけていたら、くすくすと笑い声が聞こえてきた。

「ホント桐嶋さんと仲いいですよねぇ」

「何がきっかけで親しくなったんですか？　前は桐嶋さんと一緒にいるところなんて見たことなかったのに」

「別に仲がいいわけじゃねぇよ」

不本意な言葉に眉根《まゆね》を寄せる。横澤が弱みを握られて、脅《おど》されているなどとは想像もしていないだろう。ふて腐《くさ》れているのに、彼女たちは少しも意に介《かい》そうとはせず、尚《なお》も好き勝手なことを云ってくる。

「でも、桐嶋さん家で娘さんと料理してるじゃないですか。まさか、娘さん狙《ねら》いってことはないでしょう？」

「当たり前だ！　相手をいくつだと思ってるんだ！　俺はロリコンじゃない」

苦々しい表情を浮《う》かべていると、桐嶋がニヤニヤと笑いながらこちらを見ていた。きっと、腹の中で「ホモだからな」とでも思っているのかもしれない。

「でも、横澤さんって料理するんですね～。すごく意外！　しかも、包丁持つ手つきが様になってるし。けっこう家事にマメなタイプなんですか？」

「そうだ！　今度、みんなで料理教室に行こうかって云ってるんですけど、ご一緒《いっしょ》にどうですか？　その教室、家でもできる簡単フレンチって触《ふ》れ込みで——」

「行くわけねーだろ！」

いつもなら恐《おそ》れられるはずの怒声も、エプロン姿を見られた気恥《きは》ずかしさがあるため、いまいち迫力《はくりょく》が足りていない気がする。彼女たちは苛立《いらだ》つ横澤に怯《おび》えることなく、好き勝手なことを云っている。

「親近感湧《わ》きましたよ、私。横澤さんにも、家庭的なところがあるんだなって」

「うんうん、近寄りやすくなったよね」

「………………」

反論する気も起こらない彼女たちの物云いに頭が痛くなってくる。元々、女性と話すのはあまり得意ではない。少しキツいことを云うと、すぐに泣き出してしまったり、そうでなければ逆にこちらが云い負かされたりする。

これ以上何か云えば、墓穴《ぼけつ》を掘《ほ》りかねない。矛先《ほこさき》を変えたほうがいいと考え、桐嶋のほうへと向き直った。

「とにかく、その写真は消せ。いますぐにだ」

「誰にも見せないなら持ってたっていいだろ。せっかく日和が送ってくれたのに」

桐嶋の不満そうな顔に、目を吊《つ》り上げる。日和には悪いが、データに残されていたらいつどこで誰に見せられるかわからない。データがあるだけでも不愉快《ふゆかい》だというのに、待ち受け画像に設定されているなんて論外だ。

「いいから消せ！　あんたは信用ならん」

「疑り深い大人は嫌だねー。仕方ない、これは消してやるよ。……これでいいんだろ」

桐嶋は携帯《けいたい》電話を操作し、横澤に見せながら削除《さくじょ》ボタンを押した。心配の種が一つ消えてなくなったことに、ほっと胸を撫《な》で下ろしつつも、桐嶋の言葉が気にかかっていた。「これは消してやる」と強調しているように聞こえたのは、自分の思いすごしだろうか。

横澤を脅すために使った件《くだん》の写真は、まだ残っていると云いたいのだと深読みもできてしまう。むしろ、そちらのほうが存在していて欲しくない代物《しろもの》だけれど、他《ほか》の人間がいる場所で口に出すわけにはいかなかった。

いまのところ、それはどこにも流出させてないようだが、桐嶋の手元が滑《すべ》る可能性だってある。そろそろ、その件に関しても話をつけるべきだ。いつまでも茶番を続けてはいられない。

「あーあ、もったいない……」

残念そうな呟《つぶや》きを零《こぼ》す女性編集者のほうに振《ふ》り返り、

「お前らの記憶《きおく》からも消しとけ。いますぐ忘れないと、お前らの雑誌も売れなくしてやるからな」

さっきも脅し文句《もんく》に使った伝家の宝刀を抜《ぬ》く。横澤の言葉に、彼女たちは口々に不満をぶつけてきた。

「えー！　無茶《むちゃ》云わないで下さい！」

「職権乱用ですよ！　横澤さん、心狭《こころせま》い!!」

「お前らのやってることだって肖像権《しょうぞうけん》の侵害《しんがい》だ」

「う……っ」

横澤の反撃《はんげき》に押し黙《だま》る二人の代わりに、合いの手を入れてきたのは桐嶋だった。

「たしかにそうだな」

「他人ごとみたいに感心すんな！　誰が一番悪いと思ってるんだ！」

「そりゃ、こんな可愛い格好してるお前が悪い」

ふざけた答えを口にする桐嶋に、女子二人がそうだそうだと援護《えんご》してくる。頭痛を覚える額を押さえ、深々とため息をついた。

「お前ら、あんまり調子に乗るなよ……」

本気で苛立ちを滲《にじ》ませると、ようやく静かになった。ある程度ならふざけていてもかまわないが、引き際《ぎわ》は見極《みきわ》めてもらいたい。怯えた顔をしている編集者の代わりに、桐嶋が改めて謝罪を口にする。

「悪かった。お前がそんなに嫌がるとは思わなかったんだよ。疲《つか》れてて、つい調子に乗った。見せたやつらには口止めしとくから、それで許してくれ」

「絶対だからな」

「わかってるよ。男に二言はない」

桐嶋に念を押し、横澤はその場を立ち去った。

月曜だというのに、朝から疲れ果ててしまった。タイミングよく五階に止まっていたエレベーターに乗り込み、三階の営業部に戻《もど》る。朝のうちにいくつか仕事を終わらせるつもりで早く出社したのに、無駄《むだ》な時間を食ってしまった。

営業部は、すでに半数ほど出社していた。ハンガーラックにコートをかけていると、PCに向かっていた逸見がこちらに気づいて顔を上げる。

「あ、おはようございます、横澤さん」

「おはよう」

挨拶《あいさつ》を返しながら、自分の席へと向かう。思わず、逸見の様子を窺《うかが》ったのは、あの写真を目にしているのではないかという疑惑《ぎわく》があったからだ。不安を覚える横澤だったが、彼には普段《ふだん》と違《ちが》ったところは見受けられない。

金曜の夜、自分が帰る頃《ころ》には営業部の面子《メンツ》はほぼ全員が退社していた。少なくとも、フロアの消灯をしたのは横澤だ。それを考えると、可能性はゼロに近いが、念のために確認《かくにん》しておくことにした。

「……お前も見たのか？」

「え、何をですか？　あっ、今日の会議の資料ですか？　これから読もうと思ってたところですけど」

「いや、見てないならいい」

どうやら、逸見のところには話も回ってきていないらしい。よく考えてみれば、桐嶋が金曜の夜に見せびらかしていたということは、目にする可能性があるのは少年漫画《まんが》のフロアに席がある連中だけだ。営業部まで回ってくるはずがない。

「す、すみません！　すぐ読みますから！」

横澤の言葉を誤解した逸見は、慌《あわ》ててPCの画面に向き直った。訂正《ていせい》するのも面倒《めんどう》だっため、そのまま仕事に集中してもらうことにした。

そもそも、横澤は決して恥《は》じることをしたわけではない。少々似合わないものを身につけていただけだ。殊更《ことさら》意識する必要はなかったのではないかと思い直した。

横澤も自身のPCを立ち上げ、週末で溜《た》まったメールのチェックをする。メールマガジンは後回しにし、書店からの報告や、読者からの問い合わせ案件などに目を通し、すぐに返事ができるものから処理していく。

「新刊の動き、いいみたいですね」

「そうだな。思ってたより、消化が早い。早めに重版かけたほうがよさそうだな」

「『ザ・漢』の発売日発表もタイミングよかったみたいで、既刊《きかん》も伸《の》びてますね。雑誌もいつもより消化率よくてほっとしました。桐嶋さんの機転で助かりましたね」

「ああ、不幸中の幸いっつーか、抜け目ないっつーか」

どんなことでもチャンスに変えようとする、桐嶋の貪欲《どんよく》さは見習うべきだろう。連れ回されるようになるまで、桐嶋のことはよくわからなかった。いつでも飄々《ひょうひょう》としているため、何を考えてるかわからない食えない男だと思っていた。

事実、そのとおりの人間だったけれど、それは彼の一面にすぎないことをすでに横澤は知っている。隙《すき》あらば揚《あ》げ足を取ろうとしてくる人の悪い部分もあれば、娘《むすめ》に弱い親バカな顔や、情に厚い甘いところもある。

「そういえば、横澤さん、最近楽しそうですよね」

逸見は画面に視線を向けたまま、ふとそんなことを口にした。

「は？　俺のどこが楽しそうなんだ」

横澤は緩《ゆる》みかけていた表情を引き締《し》め、逸見に反論する。失恋《しつれん》したてで、桐嶋にも振り回されているこの状況《じょうきょう》が楽しいだなんてありえない。

「だって、前に比べたら眉間《みけん》の皺《しわ》が薄《うす》めだし、帰宅も早いじゃないですか。しばらく元気がない感じだったから、部署のみんなが心配してたんですよ」

気落ちしていたことを皆《みな》に見抜《みぬ》かれていたことに、横澤自身、少しも気づいていなかった。

しかし、いま思い返すとずいぶんと気遣《きづか》われていた気もする。心配をかけてしまったことを申し訳なく思いつつも、横澤の性格上、素直《すなお》に礼を云《い》うことはできなかった。

「……早く帰ってたのは仕事が忙《いそが》しくなかったからってだけだ」

隠《かく》していることがあるため、どうしても歯切れが悪くなってしまう。

「そうですか？　普段よりペース上げてるみたいに見えましたけど。お陰《かげ》で俺の仕事も増えてるってこと、気づいてます？」

冗談《じょうだん》めかして恨《うら》みがましい言葉を口にする逸見を一蹴《いっしゅう》する。

「んなの、増えたうちに入らねーよ」

「横澤さんと違って、俺は普通《ふつう》の部類なんですからね！　あんまり無茶云わないで下さいよ」

「何云ってんだ、俺だって普通だ。お前より少し歳食ってて経験があるから、要領よくやれることがあるだけの話だろ」

「え……もしかして、慰《なぐさ》めてくれてるんですか？」

逸見は鳩《はと》が豆鉄砲《まめでっぽう》を食《く》らったかのような顔で横澤を見ている。その視線がいたたまれず、すぐに柄《がら》にもない自分の発言を後悔《こうかい》した。やはり、慣れないことはしないほうがいい。

「お前がそう感じたなら、そうなんだろ」

「やっぱり、ちょっと変わりましたよね。何だろう、桐嶋さんと飲みに行くようになってからかな？」

「……っ」

不意打ちで出てきた桐嶋の名前に、息を呑《の》む。動揺《どうよう》を見抜かれないよう、歯を食《く》い縛《しば》り、ポーカーフェイスを貫《つらぬ》いた。

「いやー、一番初めに桐嶋さんが営業部まで迎《むか》えに来たときはびっくりしましたよ。いったい、いつ桐嶋さんと仲よくなったんですか？」

「別に仲がいいわけじゃない」

さっきも女性編集者に云われたけれど、横澤には桐嶋の誘《さそ》いを断れない事情があるため、傍《はた》から見ていると親しくしているように見えるようだ。しかし、断じて桐嶋と一緒《いっしょ》にいて楽しいわけがない。

苦虫《にがむし》を噛《か》み潰《つぶ》したような顔で否定すると、逸見は横澤が謙遜《けんそん》しているとでも思ったのか、快活に笑い飛ばした。

「またまたー。桐嶋さんと話してるときの横澤さんって、肩《かた》の力抜けてる感じしますよ。あ、もしかして、横澤さんが楽しそうなのって、桐嶋さんと一緒にいるからですかね？」

「そんなわけねえだろ！」

「！」

急に声を荒《あら》らげた横澤に、逸見は口を噤《つぐ》んだ。いまの会話の流れで怒鳴《どな》られるとは思ってもいなかったのだろう。目を丸くして二の句が継《つ》げずにいる逸見に、横澤はすぐに反省した。

誤解されるよりも、本当のことを知られるほうが困る。てきとうに流しておけばよかったのに、どうして桐嶋のことになるとこんなにも過剰《かじょう》反応をしてしまうのだろう。

「……すまん、怒鳴ったりして」

「い、いえ……」

急に気まずくなった空気をごまかすこともできず、横澤は座ったばかりの席から立ち上がる。冷たい空気に当たって、少し頭を冷やしたほうがよさそうだ。

「……外回りに行ってくる」

カバンにファイルを詰《つ》め込んでいると、逸見が戸惑《とまど》った様子で訊《き》いてきた。

「え、今日は十一時から会議ありますけど——」

「それまでに戻ってくる。資料はメールしてあるから人数分刷り出しとけ」

「あの、横澤さん!?」

呼びかけに振《ふ》り返ることなく、横澤は出社してくる同僚《どうりょう》と逆方向へと歩を進めた。


「……今日は疲《つか》れたな……」

久々の接待のための飲みの席は思った以上に気疲《きづか》れした。どんなに飲んでも酔《よ》うわけにはいかないと思っているから、緊張《きんちょう》が途切《とぎ》れないのだろう。

今日、桐嶋を避《さ》けるために仕事を詰め込んだのは、自分の頭を冷やすためだった。以前から誘ってくれていた書店の店長と飲みに行くことにしたのは、仕事なら断る大義名分になると考えたのだ。

後ろめたさのようなものを感じながら、桐嶋に『今日は家に行けない』とメールをしたら、意外にもすんなり了承《りょうしょう》された。桐嶋からの返答に少し拍子抜《ひょうしぬ》けしたけれど、相手も社会人だ。普通に考えたら、仕事より自分を優先しろと云うわけがない。

行かないと決めたのは自分なのに、予想外に気落ちしている自らに、横澤は戸惑っていた。

「……何考えてんだ、俺は」

日和に会うのは楽しかったけれど、桐嶋には嫌々《いやいや》つき合っていただけであって、気を許したわけでは決してない。少し情に絆《ほだ》された部分はあるかもしれないけれど、それだけだ。

日和が送った写真のことは、正直なところ、いまはそれほど怒《おこ》っていない。聞いたばかりのときは頭に血が上ったけれど、決して恥ずかしいことをしているわけではないのだから騒《さわ》ぎ立てるほうがみっともないと思い直したのだ。

そのことよりも、むしろ自分の中で桐嶋の存在が思っていた以上に大きくなっていたことに戸惑いを覚えていた。

ダイニングテーブルにカバンと夕食に買ってきたチェーン店の牛丼《ぎゅうどん》を置き、スーツのジャケットを脱《ぬ》いで椅子《いす》の背に無造作にかけていると、ソラ太が足下《あしもと》に寄ってきた。

「にゃあ」

「ソラ太。いま、飯用意するからちょっと待ってろ。今日は缶詰《かんづめ》にしてやるから」

普段《ふだん》はあまりべたべたしてこないソラ太だが、帰りが遅《おそ》い日が続いたせいか、今日は帰宅してからずっと横澤のあとをついて回っている。もしかしたら、留守番が長かったため、心細い気持ちでいたのかもしれない。

「久しぶりだな、お前と飯食うのは。……ごめんな、留守番ばっかかさせて。もう少ししたら仕事も落ち着くから、それまで我慢《がまん》しててくれ」

必要最低限の物しか置いていない自宅は、以前よりももっと味気ないものに感じられた。子供がいる賑《にぎ》やかさに慣れてしまうと、やはり淋《さび》しさは否《いな》めない。ソラ太がいなければ、きっと一人でこの部屋にいることは耐《た》えきれなかっただろう。

「ひよはお喋《しゃべ》りだからな……」

あのねあのねと、話すことが次から次へと出てくる。学校でどんなものが流行《はや》っていて、どんな授業があって、どんな給食が出たのか、その日あったことを全部話そうとする。そのうちに目蓋《まぶた》が重くなってきて、途中《とちゅう》で眠《ねむ》ってしまうのだ。

いまごろきっと、もう夢の中だろう。横澤が行くものと思っていたらしく、先ほど『明日は来てね』というメールが日和から届いていた。日和には会いたいけれど、当面、桐嶋の家に行くつもりはない。

できる限り距離《きょり》を取り、気持ちの整理をしたかった。どうして、桐嶋のことになると、こんなにも心が乱れるのか、その理由が自分でもよくわからなかった。

こんな状態では、失恋に落ち込んでいる暇《ひま》もない。

「くそっ、どうしてあいつの顔が浮《う》かぶんだ」

一番見たくない顔のはずなのに、気を抜《ぬ》くと桐嶋のことばかり考えてしまう。横澤の人生において、あんなに自分を振り回してくる人間はいなかった。

缶詰を持ったままぼんやりとしていたら、「なぁう」というソラ太の鳴き声が聞こえてきた。足下に視線を向けると、かりかりと横澤の足を引っ掻《か》いていた。

「ああ、悪い悪い。いま、開けるな」

蓋《ふた》を開けた缶詰に少しだけお湯を入れて柔《やわ》らかくし、専用の餌《えさ》皿に入れてやると、ソラ太は待ってましたとばかりに食べ始めた。

このところ、家にいない時間が長かったため、ドライフードをやって出かけることが多かった。基本的に好き嫌《きら》いはないようだが、やはり生タイプのほうが好きらしい。

「美味《うま》いか？」

もちろん、餌に夢中なソラ太からその答えが返ってくることはない。

ソラ太ももう若いと云《い》える歳ではないため、少し痩《や》せさせなければならない。しかし、普段あまりかまってやれない罪悪感の埋《う》め合わせもあって、新しい餌が出ているとつい手を伸《の》ばしてしまう。

そして、それを美味《おい》しそうに食べている様子を見ていると、また買ってきてやろうと思ってしまうのだ。高野にもよく「お前はソラ太に甘すぎる」と云われたものだ。横澤自身、自覚はあるけれど、どうしても甘えられると弱い。

「……俺も飯食うか」

すでに冷めた牛丼は、やはり普段口にしているものよりも味気なく感じられた。

5

「今日はお疲れさまでした……と」

同僚から届いたメールに返事を書き、送信ボタンを押したところでタイミングよくエレベーターが自宅のある階に到着《とうちゃく》した。

日曜日の今日は、写真集を出したばかりのアイドルの握手会《あくしゅ》の助っ人だった。

人員整理の人手が足りないという理由もあったけれど、熱狂的《ねっきょう》なファンも駆《か》けつけるため、彼らに度を超《こ》した行動をさせないために強面《こわもて》の横澤も駆り出されたというわけだ。

立ち仕事はそれほど苦ではなかったものの、会場中に目を配る必要があったため、常に緊張を強《し》いられて神経が疲弊《ひへい》してしまった。

同僚はアイドルを間近に見られた幸運を喜んでいたけれど、横澤は一回り年下の少女に対して何の感慨《かんがい》も浮かばなかった。

「……本気でホモなのかもな」

自嘲《じちょう》混じりの呟《つぶや》きを零《こぼ》しつつ、カバンを探《さぐ》り、家の鍵《かぎ》を取り出した。北側に面したマンションの廊下《ろうか》は、風が吹《ふ》き抜けるせいで底冷えする。三月も半分以上過ぎたというのに、今年はなかなか春の兆《きざ》しが訪《おとず》れない。

同じはずだ。こんな日はソラ太を抱《だ》いて眠るに限る。基本的に気まぐれな性格だが、暖を取りたい思いは

「ただいま」

後ろ手に施錠《せじよう》しながら、革靴《かわぐつ》を踵《かかと》で脱ぐ。今日はやけに静かだと思ったら、いつもなら玄関《げんかん》先まで出迎《でむか》えにくるソラ太が、部屋から出てこないのだ。明かりをつけてリビングに入ると、ソファの隅《すみ》で丸くなっていた。

「……ソラ太？」

呼びかけると、顔を上げて横澤のほうを見たけれど、すぐに元通り丸くなってしまった。いつもなら横澤の足下に擦《す》り寄ってきて、抱《だ》っこをねだったりするくせに、今日はちらりとこっちを見ただけで起き上がろうともしない。

お腹《なか》がいっぱいで眠いのかもしれない。いまのうちに水を替《か》えておいてやろうと思い、キッチンの明かりもつける。

「何だ、全然食べてないじゃないか。もうこの餌は飽《あ》きたのか？」

出かける前に用意していったドライフードはほとんど減っていなかった。基本的にソラ太は食欲《しよくよく》が旺盛《おうせい》なため、むしろ体重を減らさなければならないことが悩《なや》みの種だった。

そんなソラ太がフードを残しているのは、かなり珍《めずら》しい。そう思って様子を窺《うかが》うと、心なしか元気がないように見えた。

「ソラ太？　おい、どうした？　具合悪いのか？」

訊《たず》ねたところで、ソラ太に答えられるはずもないことはわかっていたけれど、呼びかけずにはいられなかった。

食欲もない上に、こんなに元気がないのは初めてのことだ。

以前、動物病院に健康診断《けんこうしんだん》を受けさせに行ったときに、待合室で同じように順番を待つ飼《か》い主から聞いた話をふと思い出した。

その人曰《いわ》く、以前飼っていた猫《ねこ》が元気がないだけだと思い様子を見ていたら、翌朝亡《な》くなってしまったそうだ。それ以来、飼い猫に少しでも異変を感じると病院に連れていくようにしているのだと話していた。

インターネット上で見かけた記事でも、似たようなケースを読んだことがある。もしかしたら、本当に体調が悪いのかもしれない。横澤の思いすごしかもしれないけれど、万が一がないとは云いきれない。

「は……早く病院に連れていかないと……」

横澤はソラ太の外出用ケージを引っ張り出し、動物病院の診察券《しんさつ》を入れてある引き出しを漁《あさ》った。当然、休日の今日は休診日《きゅうしん》だ。けれど、明日の朝まで待っていたら、取り返しのつかないことになってしまうかもしれない。

横澤は藁《わら》にも縋《すが》る思いで、ようやく見つけた診察券に書かれた番号へと電話した。

日曜の深夜にもかかわらず、かかりつけの動物病院の獣医《じゅうい》に電話すると、快く診察を引き受けてくれた。ペットの同乗を許可してくれているタクシーで動物病院に向かっている間も、横澤は気が気ではなかった。

もし、ソラ太が命に関《かか》わるほどの大きな病気を抱《かか》えていたら——そんな不安がどうしても拭《ぬぐ》えない。前向きに考えようとしても、最悪のことばかりが浮かんでくる。

人にはたかがペットと云われるかもしれないけれど、ソラ太は家族同然の存在だ。人と違《ちが》って、言葉を話さないから彼らの気持ちは行動や表情から察することしかできない。それが歯痒《はがゆ》いときもたくさんあるけれど、たしかに心は通い合っている。

嫌《いや》な想像を必死に振《ふ》り払《はら》いながら診察が終わるのを待っていると、待合室に日和が飛び込んできた。

「お兄ちゃん！」

「ひよ……」

「大丈夫《だいじょうぶ》か、横澤」

日和に続いて、桐嶋が入ってきた。

動物病院に来る途中《とちゅう》、咄嗟《とっさ》に高野に連絡《れんらく》しようとしたけれど、結局それは思い止まった。こんなときに頼《たよ》って、未練がましく思われたくはない。しかし、一人ではやはり心細く、衝動《しょうどう》的に桐嶋に電話をしてしまったのだ。

桐嶋の顔を見たら、少しほっとすることができたけれど、それと同時に後悔《こうかい》の念が込み上げてきた。不安だからと云《い》って、桐嶋に連絡したことは間違《まちが》いだった。横澤にとって、ソラ太のことは一大事でも、他人にしてみたら些末《さまつ》なことでしかない。

「すみません、ペットなんかのためにわざわざ来てもらって……」

「なんかって云うな。猫だって、お前にとっては家族だろ？」

「……ああ、そうだな」

桐嶋の厳しい言葉に、瞳《ひとみ》の奥がじわりと熱くなった。涙《なみだ》だけは見せまいと、俯《うつむ》き、ぐっと歯を食《く》い縛《しば》る。そんな横澤の手を握《にぎ》り、日和が声をかけてくれる。

「大丈夫、ひよが一緒《いっしょ》についてるからね。ソラちゃん、すぐ元気になるよ」

「そうだな。ありがとな、ひよ」

こんな小さな子に力づけられるなんて、大の大人が情けない。けれど、日和の手の温かさは、とても心強かった。微笑《ほほえ》み返した瞬間《しゅんかん》、診察室のドアが開いた。

「横澤さん、中へどうぞ」

「はい」

年配の獣医に呼ばれ、横澤は弾《はじ》かれたように立ち上がる。傍《そば》についていてくれた日和に礼を云う代わりに頭を撫《な》でてから、診察室へと足を踏《ふ》み入れた。

ソラ太は腰《こし》の高さほどある診察台にちょこんと座り、大人しく診察を受けていたようだった。さっきまで元気のない様子だったのが嘘《うそ》のように、けろっとした顔をしている。

「先生、どうでしたか?」

表情を強張《こわば》らせている横澤に、獣医は穏和《おんわ》な笑《え》みを浮《う》かべて診察結果を告げた。

「安心して下さい。一通り検査しましたが、どこにも異常は見られませんでしたよ」

「本当ですか!?」

「ええ、悪いものを飲み込んだり、どこか具合が悪いというわけではないようです。多分、ちょっと元気がなかっただけだと思いますよ」

「それじゃあ、何ともないってことですか?」

「ええ。いまはこのとおり元気ですし、病気の心配はありませんよ。でも、ソラ太くんも歳が歳ですからね。普段《ふだん》どおりの生活でかまいませんが、念のため、しばらくは注意して様子を見てあげて下さい」

ソラ太は大好きな獣医の先生に抱き上げられてご満悦《まんえつ》だ。獣医の云うとおり、少し元気がなかっただけなのだろう。

つまり、横澤の取り越《こ》し苦労だったというわけだ。獣医の診断《しんだん》に、安堵《あんど》と羞恥《しゅうち》が込み上げてくる。大したことでもないのに一人で浮き足立ち、夜中に獣医を叩《たた》き起こして、桐嶋まで呼びつけてしまった。気が動転するにしたってほどがある。

じわじわと込み上げてきた羞恥心《しゅうちしん》を堪《こら》えながら、深々と頭を下げた。

「今日は本当にありがとうございました」

「いやいや、大きな病気じゃなくてよかったですよ。もしかしたら、ちょっと淋《さび》しかったのかもしれませんね。でも、こんなに心配してくれるご主人様がいて、ソラ太くんは幸せ者ですよ」

獣医からソラ太を受け取り、胸に抱え上げた。甘えるように顔を擦《す》り寄せてくる様子に、胸が痛む。

このところ、ずっと帰宅が遅《おそ》かった。まともに相手をしてやる時間もあまりなく、元の飼い主である高野にも会わせてやれていない。ソラ太が淋しく思うのも当然だ。

「夜遅《よるおそ》くにご迷惑《めいわく》をおかけしました」

「いえいえ、これが私の仕事ですから。お大事にして下さいね」

「はい。充分《じゅうぶん》気をつけます」

もう一度頭を下げ、診察室を出ると、日和が駆《か》け寄ってきた。

「あっ、お兄ちゃん！　ソラちゃんの具合どうだった？」

「少し元気がなかっただけだろうって。病気ではないから心配ないそうだ」

「本当に？　よかったねえ、ソラちゃん。あ、初めましてだね。私は日和。よろしくね」

日和は背伸《せの》びをし、ソラ太の頭を撫でてくれる。小さな手の感触《かんしょく》が心地《ここち》よいのか、ソラ太は気持ちよさそうに目を細めた。

「つまり、大したことはないってことか？」

「俺の早合点《はやがてん》だったみたいだ。……夜遅くに手間かけさせて悪かった」

ただの勘違《かんちが》いで無駄足《むだあし》を踏ませてしまったことを詫《わ》びる。

「何しょぼくれてんだ。よかったじゃないか、大きな病気じゃなくて」

桐嶋に力強く背中を叩かれる。日曜の夜に不意に呼び出されたというのに、桐嶋と日和は嫌な顔一つせずにソラ太の無事を喜んでくれている。二人のそんな様子に、ずっと気を張っていた横澤はようやく肩《かた》の力を抜《ぬ》くことができた。

「薬とかそういうのはもらわなくていいのか？」

「ああ、もう帰れる。ただ、もう若くはないし、しばらく様子を見るようにと云われた」

獣医に云われたことを復唱しながら、ソラ太をケージに入れる。いつまでも待合室に居座るわけにはいかない。

桐嶋たちと共に外に出ると、夜空には数多《あまた》の星と三日月が浮いていた。普段よりも鮮《あざ》やかに見えるのは、閑静《かんせい》な住宅街という立地のため、街を照らす明かりが比較的《ひかくてき》少ないからだろう。

「様子を見ろって、昼間もついてろってことか？」

「いや、基本的には普段どおりでいいらしい。できることなら、ずっとついててやりたいが、そうもいかないからな……」

仕事がある以上、ソラ太のためにずっと家にいるというわけにはいかない。せめて、早く帰宅できればいいのだが、今週は予定が詰《つ》まっている。

預けられる友人がいればいいけれど、単身者でペットを飼える環境《かんきょう》にあるのは高野だけだ。しかし、営業の横澤以上に不規則な生活をしている人間に任せるわけにはいかない。

悩《なや》んでいたそのとき、横で話を聞いていた日和が勢いよく手を挙げた。

「私が面倒《めんどう》見る！」

「え？」

「ソラちゃんが元気になるまでウチにいればいいよ。私、もう春休みだから、ソラちゃんと一緒にいられるよ」

「それはいいアイデアだな」

「でしょでしょ？」

桐嶋に褒《ほ》められ、日和は胸を張る。その気持ちはありがたかったが、そこまで甘えるわけにはいかない。ソラ太は自分が責任を持つと云って、高野から取り上げた猫《ねこ》だ。横澤には面倒を見る義務がある。

「気持ちはありがたいけど、それだとひよがどこにも行けなくなるだろ？　友達と遊んだりしないのか？」

自分とソラ太のために、日和の自由を奪《うば》うことになるのは気が引ける。だが、日和は引き下がろうとはしなかった。

「友達とはいつでも遊べるもん。いまはソラちゃんに元気になってもらうほうが大事でしょ？お兄ちゃんにはお仕事があるんだから、ひよに任せて」

「ひよがこう云ってんだから、甘えろよ。それとも、ひよじゃ信用ならないか？」

「そんなわけねーだろ！」

「どうせ、お前のことだから、これ以上、俺たちに迷惑かけたくないとか思ってんだろ」

「……っ」

胸の内をすっかり見抜《みぬ》かれ、反論の余地すらなかった。桐嶋にかかれば、自分などただの子供でしかないのかもしれない。

「云っておくが、迷惑でも何でもないからな。お前がうじうじ悩んでるほうが、よっぽど迷惑なんだよ。ついでだから、お前もしばらくうちに泊《と》まれ」

「はあ？　何で俺が……」

「猫も心配だが、お前も心配だ。一人にしておくわけにはいかない。鏡を見てみろ。相当やばい顔色してるぞ」

「やめろ！　人の顔を突《つつ》くな！」

額を突いてくる桐嶋の手を振《ふ》り払《はら》う。顔色がよくないのは、ソラ太を心配して気が気ではなかったからだ。横澤自身の体調が悪いわけではない。気遣《きづか》ってくれる気持ちはありがたいが、その必要はない。

「客間は空いてるし、家に帰ったって寝《ね》るだけなら、どこだって同じだろ。ひよだって、そのほうがいいと思うだろ？」

「うん！　お兄ちゃんもウチにおいでよ！　みんな一緒《いっしょ》のほうが楽しいよ！」

日和にキラキラした眼差《まなざ》しで見上げられ、嫌《いや》だとは云《い》えない雰囲気《ふんいき》になってしまった。これが桐嶋の手だとわかっていても、子供の無邪気《むじゃき》さには抗《あらが》えない。日和の耳には聞こえないよう、小声で桐嶋に文句を云う。

「ひよを使うなんて卑怯《ひきょう》だぞ……」

「使えるものは何でも使うのが俺の主義だ。ぐだぐだ云ってないで、さっさと車に乗れ。お前の家に寄って、着替《きが》えと猫の荷物を取りに行くぞ」

「いや、しかし——」

躊躇《ためら》っている横澤に、桐嶋はぴしゃりと告げる。

「これは命令だ。云ってる意味、わかるよな？」

「……！」

含《ふく》みのある云い方をされ、弱みを握《にぎ》られていることを思い出した。あの件を出されれば、従わざるを得ない。

嫌だとは云えずに押し黙《だま》っていると、桐嶋は勝手に結論づけてしまう。

「おし、決まり。ひよもそれでいいよな」

「うん！」

「ひよ、ソラ太と一緒に後ろに乗れ。ちゃんとシートベルトも締《し》めるんだぞ」

「はーい」

「ちょ…っ、おい！」

桐嶋に指示された日和は、ソラ太の入ったケージを抱《かか》え、さっさと車に乗り込んでしまう。

奪い返すこともできず、横澤は助手席に押し込まれてしまった。

日和の体のサイズに合わせてあるのか、やたらと狭《せま》いスペースで体を丸めるハメになった。

「横澤もシートベルト締めとけよ」

桐嶋は上機嫌《じょうきげん》で運転席に座り、三人と一匹《いっぴき》を乗せた車を発進させた。

6

桐嶋の家に預けられてから、ソラ太は見違《みちが》えるように元気になった。

初めての家に預けられ、緊張《きんちょう》するのではないかと思ったが、日和にも桐嶋にもすぐに懐《なつ》いた。積極的にかまってもらえるのが嬉《うれ》しいのか、まるで子猫《こねこ》時代に戻《もど》ったかのように甘えている。

自らの早合点で桐嶋たちを騒《さわ》ぎに巻き込んでしまったことは悔《く》いているけれど、ソラ太の具合が悪いわけではなくて本当によかった。取り返しのつかないことになっていたら、自分は立ち直れなかっただろう。

やはり、ソラ太は淋《さび》しかったのかもしれない。

一人きりが淋しいのは、人間も動物も同じだろう。無邪気に日和と遊ぶソラ太の様子に、横澤は毎日帰宅が遅《おそ》かったことを反省した。

とは云え、仕事の量を減らせるわけではない。せめて、十分でも早く退社できるよう、早く出社して仕事に集中するようにしている。

「……基本的に朝が早いしな」

子供のいる家庭は、起床《きしょう》時間が早い。目覚まし時計が鳴るよりも先に、日和が無防備に寝ている横澤の上に飛んでくる。何度か腹部にダメージを食《く》らい、苦しい思いをしたけれど、相手が日和では怒《おこ》るに怒れず、大人しく起きるしかないのだ。

ソラ太ごと無理矢理《むりやり》居候《いそうろう》にされたときは不本意で仕方なかったけれど、一週間も経《た》てば慣れてもくる。洗面所の子供用の小さな歯ブラシの横に並んでいるのは、日和が選んでくれた横澤用の青い歯ブラシだ。

顔を洗ってリビングに顔を出すと、日和がヘアブラシを手に駆《か》け寄ってきた。

「お兄ちゃん、ひよの頭やって！」

「今日はどうする？」

「うん、今日は体育があるからポニーテールにして。あとね、これつけたい！」

日和の手の平に乗っていたのは、横澤が買ってやったシュシュだった。ずいぶん気に入っているようで、毎日つけてくれとねだってくる。

「じゃあ、そこ座れ」

日和の髪《かみ》を結んでやるようになったのは、友達みたいに可愛《かわい》い髪型《かみがた》にしたいと雑誌を見ながら四苦八苦しているのを見かねて、横澤が手伝い始めたのがきっかけだ。

祖母にやってもらえないときは、がんばって自分で結んでいたらしいが、やはり上手《うま》くできずに苦労していたらしい。

細かい作業は元々得意なため、日和の理想とする髪型は簡単にできた。それからというもの、毎日のように日和の髪を結んでいる。編み込みの凝《こ》った結び方をしてやったときは、学校で友達に羨《うらや》ましがられたと大喜びだった。

「お前って、本当に見かけによらず器用だよな」

日和の髪を結んでいる横澤を、桐嶋は感心しながら眺《なが》めている。もう一人の居候であるソラ太は、桐嶋の膝《ひざ》の上で丸まっている。

「あんたこそ不器用すぎるだろ。娘《むすめ》の髪くらい結べるようになれよ」

「仕方ないだろ、俺がやるとどうしても不格好になるんだから」

「開き直るな。写植がまっすぐ貼《は》れるなら、髪の毛だって練習すれば結べるようになるだろ。ひよ、結び目キツくないか？」

「うん、大丈夫《だいじょうぶ》」

「ひよ、できたぞ。鏡で確認《かくにん》してこい」

結び目にシュシュをくくりつけて完成だ。我ながら、ずいぶんと手慣れてきた。凝り性《しょう》なため、こういった細かい作業は嫌《きら》いではない。

「ありがとう、お兄ちゃん！」

日和は笑顔《えがお》で礼を云って、洗面所に走っていく。その背中を微笑《ほほえ》ましく眺め、コーヒーをカップに注ぎ、テーブルについた。

「ほら、ミルク入れるんだろ」

「ん」

テーブルに出ていた牛乳のパックを渡《わた》される。コーヒーはブラックで飲むほうが好きだが、一度胃を痛めてから、朝はミルクを入れるようにしている。焼け石に水かもしれないが、つき合いで飲酒することの多い生活を考え、できる範囲《はんい》で気をつけているのだ。

ぬるめのカフェオレを啜《すす》っていた横澤に、桐嶋がふざけた言葉をかけてきた。

「こうしてると、何だか新婚《しんこん》みたいだな」

「あ？　いま何つった」

聞き間違《まちが》いか何かだろうかと思い、眉根《まゆね》を寄せて聞き直す。

「だから、新婚家庭だなって。俺がパパでお前がママ」

桐嶋は真顔でそう云いながら、指で自分と横澤を指し示した。冗談《じょうだん》にしてはセンスがない。笑い飛ばす気にもなれず、横澤は眉間《みけん》の皺《しわ》を深くする。

「気色悪いこと云うな」

「まためた、照れなくていいって」

「誰《だれ》も照れてねーよ！」

こうやってムキになって反応するから、桐嶋にからかわれるのだとわかっているが、聞き流すのも業腹《ごうはら》だ。感情を抑《おさ》えきれず、さらに苛立《いらだ》ちをぶつけようとしたそのとき、日和の声が聞こえてきた。

「なになにー？　何の話してるの？」

桐嶋が声を立てて笑っているのが気になったらしく、ランドセルを持った日和がリビングに顔を覗《のぞ》かせている。

「横澤がママになってくれたらいいのになって云《い》ってたんだよ」

「おい、子供にヘンなこと吹《ふ》き込むな！」

桐嶋の発言にぎょっとする。まさか、日和にまで云うとは思わなかった。

「えー、横澤のお兄ちゃんは男の人だから、なるんならママじゃなくてパパじゃないの？」

日和は首を傾《かし》げつつ、尤《もっと》もな疑問を口にする。これ以上、桐嶋が妙《みょう》なことを口走らないよう、先に違《ちが》う話題を切り出した。

「ひよ、パパは放っておいて、学校の支度《したく》してきなさい。そろそろ、集合時間になるだろ」

日和の小学校では地域ごとにグループを作り、集団登校をしている。時間に遅《おく》れれば、置いていかれてしまうのだ。

「本当？　急がないと！　あっ、体操服準備してない！」

「袋《ふくろ》に入れて玄関《げんかん》に置いてある。今日は赤い靴《くつ》じゃなくて、スニーカー履《は》いていけよ」

時間割を確認して、体操服は昨夜のうちに支度しておいた。

「はーい」

あれこれと日和に指示する横澤を見て、桐嶋が笑いを噛《か》み殺しながら呟《つぶや》いた。

「やっぱり、ママでいいんじゃないか？　そのへんの母親より、よっぽど母親らしいと思うぞ」

「うるせーな！」

ついつい余計なことまで口を出してしまう自分の行動が、所帯じみていることは自覚している。桐嶋の指摘《してき》に、苦虫《にがむし》を噛み潰《つぶ》したような顔になった。


「すみません、横澤さん。週明けの部決会議用のコミックスの部数案をまとめたので、確認してもらっていいですか？」

パソコンの画面に集中していた横澤は、不意に声をかけられ、我に返った。顔を上げると、逸見が書類を持って立っていた。

「わかった、あとで見ておく。そういや、先月は大変だったよな。来月は何か揉《も》めそうなのあるか？」

部決会議とは、出版物の部数を決定する会議のことだ。営業部、編集部、受注センターなどが集まり、作家の過去のデータやアンケート結果などを基《もと》に数字を決める。

在庫を管理している受注センターは渋《しぶ》めの部数を提案し、作家と直《じか》にやりとりをし、出版物を作っている編集部が大きな数字を提示してくるのが、大概《たいがい》の流れだ。

「いえ、今月は大丈夫だと思います。既刊《きかん》も出の順調な続きものばかりですし、揉める作品はないはずですよ」

「そうだといいんだけどな。毎回、すんなり通った例《ためし》がないだろ。現場で売ってんのは誰だと思ってんだか」

個人的には営業部の提案が一番現実的なラインだと思っている。本が並ぶ書店の動向を摑《つか》み、過去の数字と見比べ、その他《ほか》の様々な要素を判断して部数を導き出している。

できるだけ在庫を抱《かか》えたくない受注センター側の気持ちも、自分たちで作った本への期待を抱《いだ》く編集部側の気持ちも理解できなくはないが、妥当《だとう》な数字というものがある。

何かのきっかけで爆発《ばくはつ》的なヒットをして想定以上の売れ行きを見せる作品もあれば、期待に反して伸《の》び悩《なや》むこともあるが、そこまで誤差が出ることはあまりない。

「たしかに……。だいたい、いつも受注センターと意見が合いませんからね」

「ま、反対されたって、引く気はねーけどな」

「俺としては、もう少し穏《おだ》やかな会議になって欲しいんですけどね……」

逸見は胃のあたりを手で押さえながら、苦笑《にがわら》いを浮《う》かべた。

「無理だろ。あの面子《メンツ》で穏やかなんてありえねー」

「あー…」

集中が途切《とぎ》れたついでに休憩《きゅうけい》を入れることにし、作り終えたばかりの資料を上書き保存し、パソコンをスリープにした。

手を組んで体を伸ばすと、関節のあちこちが軋《きし》む。同じ姿勢でデスクに向かっていたせいで、体中が凝《こ》り固まってしまっていた。普段《ふだん》ならそろそろ退社する時間だが、今日はまだ終わりが見えていなかった。

「悪い、ちょっと行ってくる」

「トイレですか？」

「ヤニ切れ」

桐嶋の家で過ごしているため、退社してからは一本も煙草《たばこ》を吸っていない。そのぶん、日中消費する本数が増えてしまった。

上着の内ポケットに煙草が入っていることを叩《たた》いて確認し、席を外した。営業部と同じ階にある休憩室には透明《とうめい》の間仕切りで隔離《かくり》された喫煙《きつえん》ルームがある。禁煙流行《きんえんばや》りのこのご時世、喫煙者は肩身《かたみ》が狭《せま》い。

「俺も禁煙すっかな……」

呟いてみたものの、どうせ口先だけだと自分でもわかっている。健康面において百害あって一利なしだということはわかっていても、どうしても手放せない。

仕事をしていると、どうしても手が伸びてしまう。自宅での本数が少ないのは、ソラ太の存在が癒《いや》しになっているからだろう。つまりは嗜好品《しこうひん》というよりも、手っ取り早いストレス解消の手段になっているわけだ。

とりあえず、今日のノルマを終わらせるためには、禁煙は先延ばしするしかない。一本だけと自分に云い聞かせ、休憩所に足を踏《ふ》み入れる。

「！」

喫煙ルームにいた先客の姿に、横澤は思わず足を止めた。顔は見えなくても、背格好だけで誰なのかわかってしまったからだ。

「――政宗」

一人、煙草を吸っていたのは高野だった。もたれかかっているカウンターに置かれたカップに入っているのは、きっとブラックコーヒーだろう。ブラックは胃に悪いと口を酸《す》っぱくして云っているにも拘《かか》わらず、横澤のいないところでは頑《かたく》なにミルクを入れようとしない。

今夜も残業をしていくつもりなのだろう。高野は部下にも口うるさいが、それ以上に自分に対して厳しい。

年上の部下を持つことに悩んでいたこともあったけれど、自分にできるのは上に立つ人間に相応《ふさわ》しい働きをすることしかないと、人の倍以上の仕事をしている。

「ずいぶん、くたびれてんな」

高野は決して、人前で弱っているところを見せない。愚痴《ぐち》や悩みを話すのは、横澤に対してだけだった。その信頼《しんらい》が心地《ここち》よくて、期待を捨てきれない面もあったかもしれない。

あの背中を見ているだけで、諦《あきら》めたはずの想《おも》いが込み上げてくる。好きで好きでしょうがないほど好きだった。この気持ちは一方通行だとわかっていたから、ずっと黙《だま》って傍《そば》にいるだけで我慢《がまん》していた。

時間をくれと云ったのは、横澤だ。けれど、これは時間だけで解決できることではないのかもしれない。塞《ふさ》がったと思っていた失恋《しつれん》の傷は、まだじくじくと疼《うず》いているし、高野への未練も断《た》ち切れていない。

以前と違うのは、『期待』をしていないということ。ただ、それだけだ。

いますぐ踵《きびす》を返してしまいたいのを堪《こら》え、一歩を踏み出す。そして、透明の扉《とびら》を押し開け、平静を装って声をかけた。

「よう、政宗。お前も休憩か？」

「横澤……」

振《ふ》り返った高野は、目を瞠《みは》ってこちらを凝視《ぎょうし》している。会議や仕事の打ち合わせ以外ではできるだけ顔を合わせないようにしていたため、二人きりになるのは久しぶりのことだ。

もっとぎこちなくなるかと思っていたけれど、我ながら自然に切り出せたことにほっとした。

「元気か？」

「ああ、一応な」

「ちゃんと飯食ってるか？」

「食ってるよ」

「…………」

「…………」

何とか話をしようとしたものの、すぐに続かなくなってしまった。以前のように会話が弾《はず》まないのは、まだお互《たが》いに消化しきれないものがあるからだろう。

「ソラ太は元気か？」

「ああ、元気いっぱいだよ。相変わらず食《く》いしん坊《ぼう》で困ってる」

桐嶋が甘いのをいいことに、ソラ太はおやつをもっとくれとねだるのだ。意外にも、日和はその点に関しては厳しく、横澤の代わりに目を光らせてくれている。

「……最近、桐嶋さんと親しいみたいだな」

思考が読まれたようなタイミングの問いかけに心臓が跳《は》ねる。

「親しいってわけじゃない。連れ回されてるだけだ」

横澤の曖昧《あいまい》な答えに、高野は怪訝《けげん》な顔をした。

「そうなのか？　嫌《いや》なら誘《さそ》いを断ればいいだろう」

「いや、別にそういうわけじゃないんだが……」

桐嶋と接点を持つことになった経緯《けいい》を話せば、高野に失恋した夜の自分の荒《あ》れ具合を知られることになってしまう。それだけは絶対に避《さ》けたかった。

しかし、喜んでついて回っていると思われるのも癪《しゃく》だ。上手《うま》い云《い》い訳が思いつかずに口を濁《にご》すと、高野はあまり興味がなかったようであっさりと話題を変えてきた。

「そういえば、昨日お前の家に電話したんだが、ずいぶん帰りが遅《おそ》かったんだな」

「いや、昨日は家に戻《もど》ってないんだ。急ぎの用だったらすまない」

親しくはないと云った手前もあり、桐嶋の家に居候《いそうろう》しているとは、口が裂《さ》けても云えなかった。動揺《どうよう》を隠《かく》しきれていない自覚はあったけれど、高野のほうもいつもより気持ちに余裕《よゆう》がないようで、横澤の様子に気づくことはなかった。

「急ぎってわけじゃないから気にするな。実家にでも戻ってたのか？」

「まあ、そんなとこだ」

横澤の出張と編集部の修羅場《しゅらば》が重なり、ソラ太を高野に預けることができないときなどは、実家に頼《たの》み込んで預かってもらうことが多い。

いま、横澤を含《ふく》め、営業部は忙《いそが》しくしている。いつもなら高野に頼むところだが、あんなことがあったため、横澤が声をかけるのを遠慮《えんりょ》しているとでも思ったのだろう。高野は苦い顔で黙り込んでしまった。

「…………」

気負わせたいわけではなかったのだが、フォローをしてもますます気まずくなるだけだ。かけるべき言葉が見つからず、重たい沈黙《ちんもく》を堪《た》え忍《しの》ぶ。そんな空気を先に破ったのは高野だった。

「……すまなかった」

「政宗？」

唐突《とうとつ》な謝罪に、一瞬《いっしゅん》、素《す》の顔を覗《のぞ》かせてしまう。慌《あわ》てて表情を引き締《し》め、姿勢を正した。

「一人になって考えてみて、反省した。何でもかんでもお前に愚痴ったりして……甘えすぎてたと思う。かなり無神経だったよな」

高野はこの言葉を切り出すのに、どれだけ考え抜《ぬ》いたのだろう。自分から声をかけておきながら、肝心《かんじん》の話題から逃《に》げていた自分とは大違《おおちが》いだ。

高野のこういうまっすぐなところが好きなのだ。彼自身、自らをひねていて斜《はす》にかまえていると思い込んでいるけれど、それは繊細《せんさい》で傷つきやすい心の鎧《よろい》だ。飾《かざ》らない心の内を唯一《ゆいいつ》曝け出していたのは、横澤に対してだけだった。だからこそ、強く惹《ひ》かれたのだろう。

けれど、自分はどうだっただろう。気の置けない親友として、何でも相談していたけれど、高野を好きだという気持ちは、最後の最後になるまで伝えることができなかった。

ぐっと奥歯を噛《か》みしめたあと、意を決して息を吸い込む。

「——本当だよ。少女漫画誌《まんがし》の編集長なら、もっと空気読めよな」

見栄《みえ》を張って、平気な顔で笑って見せた。これが高野のためにできる、横澤にとっての精一《せいいっ》杯《ぱい》の誠意だった。

恋《こい》が叶《かな》わなかったとしても、高野とはずっと友人でいたい。彼以上に気の置けない相手には、

きっと二度と出逢《であ》えないだろう。

「もう気にしてねーから。悪かったな、ヘンなこと云っちまって。そのうち、また二人で飲みに行こうぜ」

「……ああ、そうだな」

横澤の言葉に、高野は肩《かた》から力が抜けたような顔をしていた。

「つっても、しばらくは忙しいから、無理そうだけどな。アニメ化だっつーと、やること増えて大変だよな。そうだ、急ぎの仕事があったの忘れてたから営業部に戻るわ。金曜だから、今日中に終わらせないとまずいんだよな」

いま思い出したと云わんばかりのわざとらしい云い訳だったけれど、話を切り上げるきっかけが必要だった。

「そうか。落ち着いたら、声かけてくれ」

高野も横澤の強がりは見抜《みぬ》いているだろう。それでも、この上辺ばかりの言葉を受け入れることが、お互いのためになると思ってくれたのだ。

「ああ、そうする。じゃ、またな」

最後の虚勢《きょせい》で笑って見せ、背中を向ける。これ以上、高野の顔を見ていたら、顔に張りつかせた仮面が剝《は》がれ落ちてしまいそうだった。

「……そうだ」

「ん？」

「小野寺にもよろしく云っとけ」

「ちゃんと伝えておく」

高野の返事に片手を上げ、喫煙《きつえん》ルームから外に出た。

いったい、高野はいまどんな顔をしているのだろうか。気になりはしたけれど、横澤は後ろを振り返ることなく、まっすぐ歩を進める。知らずにキツく握《にぎ》りしめていた手の平には、はっきりとした爪痕《つめあと》が残っていた。


仕事があると云い訳して立ち去ったけれど、営業部にも戻る気にもなれず、横澤は外の非常階段に居場所を求めた。日はすでに沈《しず》みかけており、空は薄暮《はくぼ》に染まっていた。

ここも喫煙所の一角だが、この季節にわざわざ北風に吹《ふ》かれに来るやつはいない。一人になるには打ってつけの場所だ。

「…………」

緊張《きんちょう》していた肩から力を抜き、細く息を吐《は》く。

自分で思っていたよりも、落ち着いて高野と話ができた。けれど、それと同時に自分の中に残る未練をも思い知ることになった。

微《かす》かな望みすら抱《いだ》けないことはわかっている。それでも、彼を好きだという気持ちは少しも変わっていなかった。

「そう簡単に吹っ切れたら苦労しねーよな」

自嘲《じちよう》気味に呟《つぶや》きながら、胸元《むなもと》から煙草《たばこ》を取り出した。指で叩《たた》いて取り出した一本を歯で咥《くわ》え、自社作品のアニメキャラの絵が印刷されたライターで火をつけていると、背後で鉄の扉《とびら》が開く音がした。一瞬、ぎくりとしたけれど、聞こえてきた馴染《なじ》みのある声に安堵《あんど》する。

「まるで、先生に隠れて煙草を吸ってる高校生みたいだな」

「……うるせーな」

振《ふ》り返るまでもなく、声の主は桐嶋だ。何故《なぜ》ここにいることがわかったのだろうかと疑問に思うまでもない。きっと、非常階段に出る横澤を見かけ、追ってきたのだろう。

わざと人気《ひとけ》のない場所へ向かう自分を訝《いぶか》しく思ったのか、それとも、高野とのやりとりを見ていたからか。理由がなければ、勤務中にわざわざ声をかけに来るわけがない。

「用があるなら、さっさと云えよ」

煙草を咥えたまま、踊《おど》り場の鉄柵《てつさく》にもたれかかる。桐嶋は横澤の隣《となり》に並び、背中を鉄柵に寄りかからせた。

「何から云おうか考えてるところだ。……一本くれ」

「禁煙《きんえん》したんじゃなかったのか」

「俺だってたまには体に悪いことがしたくなるんだよ」

渋々《しぶしぶ》とジャケットにしまったばかりの煙草のケースを取り出し、桐嶋に差し出す。

「へえ、ずいぶん軽いの吸ってるんだな。火もよこせ」

「自分でつけろ」

ライターを渡《わた》そうとしたら、ネクタイを摑《つか》まれて顔を強引《ごういん》に引き寄せられた。

「その火でいいだろ」

「…………」

至近距離《きょり》で目が合わないよう、視線を落とした。そのせいで、桐嶋の口元ばかりを見てしまう。ニヒルな笑《え》みが似合う薄《うす》い唇《くちびる》。桐嶋が大口を開けて笑うのを知っているのは、会社の中では自分以外に何人いるだろう。

煙草を挟《はさ》む指先は、繊細そうに見えるくせにやたらと不器用だなんてことも、編集部の人間は信じないに違《ちが》いない。

「やっとついたな」

「あ、ああ」

何故か、火種が移るまでの数秒がやけに長く感じられた。桐嶋は深く煙《けむり》を吸い込み、ゆっくりとそれを吐き出したあと、静かに口を開いた。

「……大丈夫《だいじょうぶ》か？」

「何のことだ」

「惚《とぼ》けるな。高野と何かあったんだろ」

「覗き見してんじゃねーよ」

「見られたくないなら、あんな場所であんな顔するな」

やはり、高野と二人でいるところを目撃《もくげき》されていたようだ。高野からは顔を背《そむ》けていたけれど、喫煙ルームの外にいた桐嶋には表情の変化に気づかれてしまったのだろう。

「……俺がどんな顔してたって云《い》うんだよ」

「自覚があるから、こんなところにいるんじゃないのか？」

「だとしても、あんたに何の関係があるんだ」

ごまかそうとしても痛いところを突《つ》いてくる桐嶋に苛々《いらいら》する。

そんな気持ちをごまかすために、煙草を吹かす。けれど、今日はどんなにニコチンを摂取《せっしゅ》しても気分が軽くなることはなかった。

「悪いが、いまはあんたの相手をしてる余裕《よゆう》がない。一人にしてくれないか」

いまの自分は、確実に弱っている。このままだと、桐嶋に見せたくない姿まで晒《さら》してしまいそうだった。

「一人にしたら、お前はドツボにはまるだろ。また眉間《みけん》の皺《しわ》深くしやがって、やっと俺が薄くしてやったっていうのに。まあ、そう簡単にふっきれねーよな」

「何云って……」

桐嶋の言葉に、はっとした。記憶《きおく》がなくなるほどに酔《よ》っていたのだ。失恋《しつれん》相手が高野だと口を滑《すべ》らせていてもおかしくはない。敢えて素知らぬふりをしてくれていたのだろう。

その上で、桐嶋は横澤が必要以上に落ち込まないよう、あちこちに連れ出してくれていたのかもしれない。現に、今日になるまで高野と二人きりになることはなかった。それは空いた時間のほとんどを桐嶋と過ごしていたからだ。

自分が守られていたことに驚《おどろ》きと共に戸惑《とまど》いを覚え、目が泳ぐ。

「あんたがそんなお節介《せっかい》な人間だとはな」

ようやく口にできた皮肉も、声が震《ふる》えてしまっていた。高野の前では張れた虚勢も、いまは形にすらならない。

「俺も自分で意外だったけどな。何でか、お前が放っておけなかったんだよ。もしかしたら、昔の自分に少し似てるせいかもな」

「へえ、俺のどこが似てるって？」

「一人で空回って、貧乏《びんぼう》くじ引くところ」

的を射た評価に渋面《じゅうめん》を浮《う》かべる。まさに桐嶋の云うとおりだ。とくに小野寺が現れてからの自らの言動は、彼らに各々《おのおの》の気持ちを再確認《さいかくにん》させただけだ。引き離《はな》そうとした結果、強く結びつけてしまったのだから、当て馬の面目躍如《めんもくやくじょ》といったところだろう。

どれだけ手先が器用でも、生き方には反映できない。要領の悪い自分の性格は自分が一番よくわかっている。しかし、桐嶋は自分と同じタイプだとは思えなかった。

「……あんたは違うだろ」

「もういい歳だから、それなりにカッコつけてるだけだ。若造に悟《さと》らせないくらいのことはできる。けど、中身はさして変わらないぞ」

本音を云っているのか、それとも、慰《なぐさ》めてくれているのか判断がつかなかった。黙《だま》り込んでいる横澤に、桐嶋は話を続ける。

「見た目に似合わず純情だよな。いつまでも、ダメだった初恋《はつこい》大事にして、そのくせ、相手は傷つけないよう見栄《みえ》張って」

「何で初恋だって知ってんだ」

「酔っ払《ぱら》って自分で云ったんだろうが。けど、見てりゃわかる。初めてでもなけりゃ、そんな不器用に恋《こい》したりしないだろ」

「……っ」

あの夜、自分はどこまで桐嶋に話してしまったのだろうか。はっきりとした記憶がないことが、自らを不安にさせる。

横澤は落ち着かない手つきで携帯《けいたい》灰皿を取り出し、煙草の火を消す。何か違うことをしていなければ、余計なことを口走ってしまいそうだった。

必死に自分を落ち着けようとしている横澤に、桐嶋は容赦《ようしゃ》のない言葉を投げてきた。

「厳しいことを云うようだが、お前のそれは依存《いそん》だ」

「な……っ」

頭の中が真っ白になった。何を云われているのかわからない。いや、わからないのではない。理解することを脳が拒否《きょひ》しているのだ。

「俺がいなくちゃダメだ、俺が支えてやらないと、俺が一番わかってる――――そういうのは、全部して欲しいことの裏返しだろ？」

必要とされたい、支えてもらいたい、誰《だれ》よりも理解してもらいたい。自分の一番醜《みにく》い部分を暴《あば》かれ、カッと頭に血が上った。

「あんたに何がわかるっていうんだ!?」

怒声《どせい》を投げつけた横澤に対し、桐嶋は冷静な表情のままだった。その落差が一層横澤を惨《みじ》めにする。

「そうやってキレるってことは、図星だって証拠《しょうこ》だ。自覚がなかったんなら、いまからでも考えてみろ。お前はどうしてあいつが好きだったんだ？」

冷静に諭《さと》してくる声音《こわね》が、癇《かん》に障《さわ》る。

「何も知らないくせに偉《えら》そうなこと云うな！　だいたい、こっちはあんたのお節介には迷惑《めいわく》してんだよ！　人を年寄りの感傷で振《ふ》り回すんじゃねーよ!!」

八つ当たりで酷《ひど》いことを云っている自覚はある。しかし、いまの横澤には溢《あふ》れ出す感情を止める方法がわからなかった。

「……そうだな。たしかにお前のことを全部知ってるわけじゃない」

淋《さび》しげに笑う桐嶋の表情に、胸が痛む。失恋がわかったときの痛みと違うのは、これが罪悪感からきているものだからだ。

早く謝らなくては、関係を修復できない。そんな焦《あせ》りすら覚えているのに、横澤の口から発せられたのはまったく正反対の言葉だった。

「さっさとどっか行けよ！　もう二度と俺の前をうろちょろすんな！　あんたの顔なんて見たくもない!!」

そう叫《さけ》ぶと、桐嶋はしばらくして短く答えた。

「わかった」

「……っ」

「灰皿持ってないんだ。悪いけど、これ消しといてくれ」

短くなった煙草《たばこ》を横澤に渡し、桐嶋は踵《きびす》を返した。そして、横澤をその場に残し、鉄の扉《とびら》を開けて建物の中へと行ってしまう。桐嶋は横澤の言葉に従っただけのことだ。それなのに、どうしてこんなに胸が苦しいのだろうか。

咄嗟《とっさ》に呼び止めようと口を開け、すぐに思い止まる。桐嶋を追い払《はら》ったのは自分だ。引き止める資格などない。そもそも、何と声をかけるつもりだったのかと自問する。

躊躇《ためら》っている間に、大きく開かれていた鉄扉《てっぴ》はゆっくりと閉じていき、やがて大きな音を立てて閉まる。

その音は横澤の耳に、まるで桐嶋の拒絶《きょぜつ》の証《あかし》のように響《ひび》いた。

7

右手にはパティスリーで買ってきたアップルパイワンホール、左手には食材の詰《つ》まったスーパーの袋《ふくろ》を提《さ》げ、すでに通い慣れた道を歩いていた。いつもより歩調が遅《おそ》いのは、躊躇いが拭《ぬぐ》いきれていないからだ。

こんなに足が重く感じるのは、小学生のときに親とケンカして家出をした翌朝のとき以来かもしれない。

「……今回も家出みたいなもんだな」

あの日、横澤は誰もいない自宅へと帰った。ソラ太のことは心配だったけれど、桐嶋に手酷《てひど》く八つ当たりしておいて、何ごともなかったかのように家に行けるほど厚顔《こうがん》ではなかった。

それに荒《あ》れた自分といるよりは日和に面倒《めんどう》を見てもらっているほうがよほど安心だ。ソラ太は人の気分に敏感《びんかん》で、横澤が苛立《いらだ》っているときは近寄ってこない。ぴりぴりとしている空気が嫌《いや》なのは猫《ねこ》も同じなのだろう。

連絡《れんらく》も入れず一日自宅に籠《こ》もっていたけれど、当然ながら桐嶋からの連絡はなかった。顔も見たくないと云《い》って癇癪《かんしゃく》を起こしたくせに、心のどこかで電話が来るのを待っている自分には呆《あき》れるしかなかった。

桐嶋に背中を向けられてからずっと、後悔《こうかい》の念ばかり抱《いだ》いていた。あれは八つ当たり以外の何物でもない。

もし、自分が桐嶋の立場だったら、あんな忠告はしないだろう。人の恋路《こいじ》に首を突《つ》っ込むなんて真っ平だし、面倒なことこの上ない。桐嶋だって、本来はああいった面倒ごとは避《さ》けるタイプの人間だ。

それなのに、わざわざ横澤を追いかけ、煙《けむ》たがられるようなことを敢《あ》えて口にしてくれたのは、横澤のため以外には考えられなかった。

どうして彼がこんなにも自分を気にかけてくれるのか、その理由は未《いま》だに理解できない。しかし、生半可な気持ちで関《かか》わっていたわけではないことはわかる。

強引《ごういん》に桐嶋のテリトリーに引き摺《ず》り込まれ、ペースを崩《くず》されっぱなしだったけれど、本当は少しも嫌ではなかった。一人でいると内に籠もってしまう横澤が沈《しず》みきらずにすんだのは、桐嶋のお陰《かげ》だ。

「…………」

門扉《もんぴ》の前に立ち、深呼吸を繰《く》り返す。

もう愛想《あいそう》を尽《つ》かされているかもしれない。不義理としか云いようのない態度を許してもらえないかもしれない。それでも、謝罪するのが最低限の礼儀《れいぎ》だ。いつまでもソラ太を預けたままにはしておけないし、日和にだって色々と礼をしなければ。

「……往生際《おうじょうぎわ》が悪いな、俺も」

ここへ来た一番の理由は、結局は桐嶋に会いたいからだ。昨日一日、横澤の頭を占《し》めていたのは桐嶋だった。あのとき、どうしてあんなことを云ってしまったのかと、自分の言動を悔《く》い、素直《すなお》になれない性格を恨《うら》めしく思っていた。

不思議と高野のことは考えていなかった。一昨日《おととい》、話をしたことでだいぶ気持ちに整理がついたのかもしれない。好きだという想《おも》いが消えたわけではないけれど、きっと、横澤の中で『過去』になったのだ。

「よし」

思い切ってインターフォンのボタンを押そうとした瞬間《しゅんかん》、中から玄関《げんかん》のドアが開いた。飛び出してきたのは日和だった。

「……っ」

「あっ、お兄ちゃん、おかえりなさい！」

満面の笑《え》みで出迎《でむか》えられ、ずきりと胸が痛む。日和の無邪気《むじゃき》さに、自分自身の矮小《わいしょう》さを思い知らされる。横澤も幼い頃《ころ》はもっと素直だったはずだ。いつの間に、こんな面倒な性格になってしまったのだろう。

「……ただいま」

「今日はお仕事ないの？」

日和への云い訳をあれこれ考えていたけれど、桐嶋は『仕事』で来られないのだと説明していたようだ。

「あ、ああ。ひよはどこか出かけるのか？」

「うん、由紀ちゃんちに遊びに行ってくる」

由紀ちゃんというのは、たしか同じマンションに住んでるという友達だ。

「遊びに行くなら、これ持ってけ」

「これ何？」

「アップルパイだ。丸いやつだから、みんなで切って食べればいいだろ」

詫《わ》びの品として持ってきたものだ。桐嶋はあまり甘いものを口にしないし、どうせなら日和に友達と一緒《いっしょ》に食べてもらったほうがいい。

「わーい！　ありがとう、お兄ちゃん！　ひよ、アップルパイ大好き！」

「おやつの時間まで我慢《がまん》するんだぞ。そういや、昼飯はどうすんだ？」

三人ぶんと思って、買い物をしてきてしまった。もし気まずいようなら、日和のために食事だけ用意して帰るつもりだった。

「由紀ちゃんちのママが作ってくれるって。もしかして、それお昼ご飯の……？」

「あ、いや、これは夕飯用だ」

聡《さと》い日和に気遣《きづか》わせないよう、咄嗟に云い繕《つくろ》う。すると、日和はぱっと表情を輝《かがや》かせた。

「ってことは、今日は夕ご飯は一緒に食べられるんだ！　早く帰ってきて、お兄ちゃんのお手伝いするね！」

夕飯を一緒に食べられるかどうかは、これからの桐嶋との話にかかっている。許してもらえる可能性は低い。けれど、それをいま日和に伝える必要はない。

「いいって。できたら電話してやるから、それまで遊んでろ。いつもはソラ太のために家にいてくれてるんだから、今日くらい羽伸《の》ばしてこい。友達だって大事だろ」

「わかった。じゃあ、電話待ってる」

「気をつけて行ってこいよ」

門の外に出て駆《か》け出そうとした日和は、あっと小さく叫《さけ》んで横澤の許《もと》へ戻《もど》ってきた。

「そうだ、お兄ちゃん。お願いがあるんだけど……」

「何だ？」

「あのね、何だか金曜日の夜からパパが元気ないの。ひよの代わりに、パパの話聞いてあげて」

「え……？」

金曜日の夜、という単語にドキリとした。それは自分が桐嶋に暴言を投げつけてしまった日のことだ。

「ひよにはあんまり相談してくれないの。コーヒー零《こぼ》したり、お皿割ったりしてるのに、何でもないって云うんだよ。お祖母《ばあ》ちゃんに云ったら、ひよは女の子だから話しにくいことがあるのかもって。だから、お兄ちゃんならパパも相談しやすいと思うんだ」

「……そうかもな。俺じゃ役に立たないかもしれないが、話はしてみるよ」

桐嶋の様子がおかしい原因が自分かもしれないとは、全幅《ぜんぷく》の信頼《しんらい》を込めて見上げてくる日和には云えなかった。横澤に任せることができて安心したのか、日和はほっとした面持《おもも》ちだった。

「お兄ちゃんなら大丈夫《だいじょうぶ》だよ。パパのことよろしくね」

「わかった」

「じゃあ、いってきまーす」

廊下《ろうか》を走っていく日和を見送り、室内に足を踏《ふ》み入れる。鍵《かぎ》をかけて奥に行くと、ソラ太が出迎えてくれた。もう何年も前からここの住人だと云わんばかりの顔でゆったりと歩き、定位置になった一人がけのソファにひらりと飛び乗り、そこで丸くなった。

「すっかり指定席だな」

ソラ太は寝《ね》たふりを決め込み、横澤の苦笑《くしょう》混じりの言葉を聞き流している。耳がぴくぴくと動いているからわかるのだ。

姿が見えない桐嶋を捜《さが》すと、寝室《しんしつ》のベランダで、まだ日も高いというのに缶《かん》ビールを手に遠くを眺《なが》めていた。

「昼間から酒か。いいご身分だな」

「何しに来た？　俺の顔なんて見たくないんだろ？」

桐嶋は振《ふ》り返らずに云《い》う。きっと、横澤が入ってきたことは、気配で気づいていたのだろう。

こんなふうに彼の背中を見つめるのは初めてのことだ。

顔が見えないということは、相手の感情が読めないに等しい。不安を感じながらも、その背中に向かって、横澤は躊躇《ためら》いがちに謝罪を切り出した。

「……一昨日は悪かったな」

「何が？」

「何って――」

わかっているくせに、わざわざそう訊《き》いてくる桐嶋に苛立《いらだ》ちを覚えかけた。しかし、謝る立場の人間が察せというのはおこがましいと思い直す。本気で謝罪するつもりなら、見たくないものからも目を逸《そ》らさず、きちんと向き合うべきだ。

「完全に八つ当たりだった。……あのときは、あんたの云うように、図星を指されて頭に血が上ったんだと思う」

「そうか」

桐嶋の淡々《たんたん》とした返事に肩《かた》を落とす。一度謝ったくらいでは、壊《こわ》れてしまった関係を修復するには足りないのだろう。

「やっぱり、許してはもらえないよな……」

泣き言めいた呟《つぶや》きを零すと、不思議そうな声が返ってきた。普段《ふだん》より覇気《はき》がないように聞こえるのは酔《よ》っているせいだろうか。

「許す？　俺は別に怒《おこ》っちゃいない。怒ってたのはお前だろう？　たしかにお節介《せっかい》がすぎた。昔っから加減がわかんねーんだよな。植木鉢《うえきばち》に水やりすぎてダメにするタイプでさ」

自嘲《じちょう》気味のぼやきは桐嶋の本音のようだった。その口調に、横澤への怒《いか》りや苛立ちは感じられない。

「あんたには感謝してる」

「猫《ねこ》のことか？」

「ソラ太のこともだけど――あのとき、逃《に》げずにあいつと向き合えたのは、あんたのお陰《かげ》だ。前の自分なら、あいつを見かけても顔を合わせないように引き返してた」

一人で鬱々《うつうつ》としていたら、最悪の精神状態になっていただろう。必要以上に落ち込まずにすんだのは、桐嶋が傍《そば》にいてくれたからだ。からかわれて腹を立てることもあったけれど、そのお陰で気が紛《まぎ》れたことは事実だ。

「お前なら、俺がいなくたって平気だったよ」

こちらを振り返った桐嶋は、少しも酔った様子はなかった。よく考えてみれば、酒豪《しゅごう》の彼が缶ビール程度で酔うはずもない。

「そうかもしれないな。けど、もしあんたがいなかったら、いまもあいつのことばっか考えてたと思う」

遣《や》り場のない想《おも》いを抱《かか》え、鬱屈《うっくつ》した日々を過ごしていただろう。

「じゃあ、いまは何考えてるって云うんだ？」

「……っ」

そんな切り返しが来るとは思っておらず、横澤は声を詰《つ》まらせた。じわじわと熱くなっていく顔を見られないよう俯《うつむ》く。

「別に云いたくなきゃ、云わなくてもいいけど」

わかっていて訊いているわけではないようだ。

「……のことだよ」

「いま、何つった？」

「あんたのことだって云ったんだよ！　一昨日《おととい》からずっと、あんたのことばっか浮《う》かんできて、迷惑《めいわく》してるんだよ!!」

「俺…？」

桐嶋は本気で驚《おどろ》いた顔をして、こちらを凝視《ぎょうし》している。あまりの恥《は》ずかしさに、横澤は顔から火を噴《ふ》きそうだった。

「あんなこと云って怒ってるだろうとか、き、嫌《きら》われたんじゃないかとか……」

どんどん語尾《ごび》が小さくなっていってしまう。きっと、顔は真っ赤になっているに違《ちが》いない。

死ぬ思いで暴露《ばくろ》したのに、桐嶋は間の抜《ぬ》けた顔で呆然《ぼうぜん》としている。反応のなさに苛立ち、横澤は憤《いきどお》った。

「人の話聞いてんのか⁉」

「聞いてる、聞いてる。あんまりびっくりするようなこと云うから、夢かと思ってぼんやりしてた」

「ふざけんな」

「やっぱり聞き逃《のが》した気がするから、もう一回云って」

「二度と云うか！　もういい。用はすんだから帰る」

あんな恥ずかしい思いはもうこりごりだ。

これ以上、このいたたまれない空気の中にい続けるのは無理だ。日和に夕飯を作ってやる約束をしてしまったから、帰りがけに謝罪の電話を入れておくしかない。

踵《きびす》を返した瞬間《しゅんかん》、強い力で手首を掴《つか》まれ、引き止められた。

「こら、どこ行くんだ」

「放せよ、帰るっつってんだろ」

「あんな可愛《かわい》いこと云われて、逃がしてやれると思うか？」

桐嶋の脅《おど》し文句《もんく》に、横澤は眉根《まゆね》を寄せる。

「……ずっと思ってたんだけど、あんたかなり目がおかしいよな。こんな熊《くま》みたいなのが可愛く見えるのはあんただけだろ」

「そうかもな」

笑って肯定《こうてい》される。それはそれで腹が立つ。こんなときにまで神経を逆撫《さかな》でする桐嶋を怒鳴《どな》りつけようとしたそのとき、桐嶋は急に真面目《まじめ》な顔になった。

『初恋《はつこい》なんて叶《かな》わない』

「!」

「まだそんなふうに思ってるのか?」

どうやら、酔っ払《ぱら》ったときにそんなことまで云っていたらしい。それは横澤が自分にずっと云い聞かせ続けてきた言葉だ。

「もう一度ちゃんと恋《こい》をすればいい。最初からきちんと恋ができれば、それがお前の初恋になるだろ」

「……あんた、エメ編も向いてるんじゃないか?」

乙女《おとめ》チックな発言に、聞いているほうが恥ずかしくなって混ぜっ返すが、桐嶋は少しも動じなかった。

「何とでも云え。お前だって、こういうノリは嫌いじゃないくせに。それに、とっくに俺のこと好きになってんだろ?」

「そういうことを自分で云うか。図々《ずうずう》しい」

「俺にしとけ。お前みたいな執念《しゅうねん》深いやつが恋愛《れんあい》するなら、俺みたいなののほうが向いてる。こぶつきだけど、お買い得だと思うけどな。そのこぶも懐《なつ》いてるんだから問題ないだろ」

「どう得だって云うんだよ」

「俺ならお前を丸ごと受け止めてやるよ。あいつを好きな気持ちは忘れなくていい。ちゃんと大事に取っておけ」

「え……」

「丸ごと受け止めるって云っただろ？　お前は何も変わる必要はねーから」

桐嶋の言葉が自然と胸に染み込んでくる。それと同時に、肩に乗っていた重石がふっと消えたような気がした。

「……俺は相当重いぞ」

「わかってる」

「鬱陶《うっとう》しいし、面倒《めんどう》くさいからな」

「だから、わかってるって。その面倒なのが好きになっちまったんだから仕方ないだろ」

「嫉妬《しっと》深くて、卑屈《ひくつ》でもいいのかよ」

脅しをかけると、桐嶋は小さく笑いながら、気障《きざ》な手つきで横澤の顎《あご》を持ち上げた。その左手の薬指にはまっていたはずの結婚《けっこん》指輪が見当たらない。

「愛されてる自信があれば、卑屈になんてならないんだよ。ヤキモチ焼きは大歓迎《だいかんげい》だ。それだけ、愛が深い証拠《しょうこ》だろ」

全《すべ》ての不安を桐嶋に打ち消され、反論の余地がなくなってしまった。

「……途中《とちゅう》で放り出したら許されねーからな」

それが横澤の精一杯《せいいっぱい》の返事だった。


風が出てきたと思ったら、流れてきた雲で日が陰り、急に肌寒《はだざむ》くなってきた。

横澤が小さくくしゃみをしたのをきっかけに、部屋に入ることにした。ベランダでの会話は隣人《りんじん》に聞こえてしまいかねない危険性を思い出し、いまになって冷や汗《あせ》をかいている。

さっきは勢いに流されてとんでもないことを云《い》ってしまった気がする。ヘンなムードになっている空気を振《ふ》り払《はら》いたくて、敢《あ》えて普通《ふつう》どおりの口調で切り出す。

「……じゃあ、俺、夕飯の下ごしらえするわ。さっき、ひよに夕飯は俺が作るって約束したし」

ベランダにいたときよりも気まずいのは、ここが寝室《しんしつ》だからだろうか。必要以上に桐嶋の存在を意識してしまう。元より駆《か》け引きのできる性格ではない。横澤の選択肢《せんたくし》には、押すか引くかのどちらかだけだ。

そそくさと寝室をあとにしようとしたら、ノブを掴む前にドアを閉められてしまった。

「え？」

桐嶋はさらに施錠《せじょう》をし、ベランダに通じる窓にカーテンを引いた。

「今日は仕切り直しをさせてもらう」

「仕切り直し？」

急に薄暗《うすぐら》くなった室内に立ち尽《つ》くしていたら、不意に体を突《つ》かれ、背中からベッドに倒《たお》れ込んだ。

「何す――」

起き上がろうとしたところ、桐嶋は馬乗りになって体重をかけてきた。そして、どう反応すべきか迷い、何度も目を瞬《しばた》いている横澤を見下ろしながら、ある告白をしてきた。

「お前に嘘《うそ》ついてたことがあるんだよな」

「嘘？」

「あの日、本当はやってないから。お前が吐《は》いちまって服が汚《よご》れたから、ホテルに入ってクリーニングに出しただけ。お前が勘違《かんちが》いしてるから、そのまま誤解させとこうと思ってさ。一つのベッドで一緒《いっしょ》に寝《ね》たのは事実だけど」

「…………は？」

「偉《えら》いだろう、据《す》え膳《ぜん》に手を出さないなんて」

「ふざけんな！　だったら、初めからそう云えよ‼」

桐嶋の言葉を真に受け、記憶《きおく》が途切《とぎ》れていた時間に何があったのかと悩《なや》んでいた自分がバカみたいだ。

「そこはほっとするところじゃないのか？　それとも、ヤられてたほうがよかったって？」

「だ、誰《だれ》もそんなこと……」

そうは云っていない。けれど、桐嶋の云うように、何もなくてよかったと胸を撫《な》で下ろすのが普通の反応だ。

「だから、仕切り直し。めでたく両想《りょうおも》いだってわかったんなら、もう遠慮《えんりょ》することないしな」

べろっと勢いよく服を捲《まく》り上げられ、胸のあたりまで剝《む》き出しにされる。桐嶋が何をしようとしているのか、問う前にわかってしまった。

「待て待て待て！」

慌《あわ》てて止めるけれど、桐嶋の手は止まらない。腹部や胸元《むなもと》を這《は》い回る手を止めようとするが、するりと逃《に》げられ捕《つか》まえられない。

「もう充分《じゅうぶん》待ってやっただろう」

「さっきまで落ち込んでたんじゃなかったのか⁉」

首筋に顔を埋《うず》めてくる桐嶋を引き剝《は》がそうと試みるものの、やはり力負けしてしまう。

「お前のお陰《かげ》でいい気分だ」

「とりあえず、ちゃんと、話を……っ」

「話ならここでもできる」

何とか拘束《こうそく》を緩《ゆる》め、ベッドの上を這って逃げようとしたけれど、背中から腰《こし》をホールドされ、身動きが取れなくなった。もう一方の手がベルトを緩め、ファスナーを下ろそうとしてくる。

「い、いまじゃなくたっていいだろう！」

「既成事実《きせいじじつ》は大事だろ。今日を逃《のが》したら、怖《お》じ気づいて逃げられそうだからな」

「誰が逃げるか！」

売り言葉に買い言葉とわかっていても、口をついて出てしまった。負けるケンカにも首を突っ込んでしまう自分の性格が恨《うら》めしい。

「いいのか？　そんなこと云って」

「……男に二言はない」

いまの言葉は、完全に見栄《みえ》だ。正直なところ、すでに尻込《しりご》みしている。桐嶋が笑いを堪《こら》えたような顔をしているのは、そんな横澤の心理を見抜《みぬ》いているからだろう。

「いい覚悟《かくご》だ」

「さっさとしろよ」

俎板《まないた》の上の鯉《こい》の気分で催促《さいそく》する。時間が経《た》てば経つほど、決心が揺《ゆ》らいでいく。幸い、後ろから抱《だ》かれているせいでお互《たが》いの顔は見えない。見つめ合って抱き合うなんて、どう考えたって柄《がら》じゃない。

「情緒《じょうちょ》がないな。もう少し、雰囲気《ふんいき》ってものを大事にしろよ」

「うるせぇな、そういうの向かねーんだよ。……っ」

下着越《ご》しに感じる桐嶋の手の温度に息を詰《つ》める。やんわりと形をなぞられているうちに、そこに熱が集まっていく。

「怖《こわ》いなら目ぇ瞑《つむ》ってろ」

「怖いことなんてあるか！」

ムキになって云い返すけれど、桐嶋の手が自分の股間《こかん》をまさぐる様を目に入れないよう、光が透《す》けるカーテンのほうばかりを見てしまう。できるだけ考えないようにしているのに、どうしても指の動きを意識で追ってしまうのを止められない。

やがて、その指は下着を押し下げ、横澤の昂《たか》ぶりを直《じか》に握《にぎ》り込んできた。

「……っ!?」

乾《かわ》いた感触《かんしょく》を想像していたのに、触《ふ》れてきたのは何かで濡《ぬ》れた指だった。思わず自分の股間に視線を落とすと、すぐ横にピンクの蓋《ふた》のついた小さな容器が投げ出されていた。

「このほうが、手っ取り早くその気になるだろ？」

「どこから、持ってきたんだ……」

桐嶋が手に塗《ぬ》っていたのは、ベビーオイルのようだった。潤滑剤代《じゅんかつざい》わりに使うつもりなのだろう。

「ひよがちっちゃい頃《ころ》、しばらく乾燥肌《かんそうはだ》が酷《ひど》かったから常備してあるんだ」

「こんなときにひよのこと思い出させんな……」

このベッドで日和が眠《ねむ》ることだってあるのだ。そんな場所でいかがわしいことをしているかと思うといたたまれない。

「そりゃ悪かったな。責任を持って忘れさせてやる」

桐嶋はそう云って、指に力を込めてくる。何度か扱《しご》かれただけで、緩く勃《た》ち上がりかけていたそこは完全に張り詰めた。

「はっ……あ……」

巧《たく》みな指遣《ゆびづか》いとオイルのぬめりが、横澤を追い上げる。

「……っ、おい、俺ばっかやってどうすんだよ」

このままでは一方的に高められるばかりだ。一人だけみっともない姿を晒《さら》すことになるのは避《さ》けたかった。

「お前もしてくれるのか？」

「あんたの好きにさせてたら、いつまで経っても終わらねーだろ」

強引《ごういん》に体の向きを変え、向かい合う格好になる。一方的に翻弄《ほんろう》された悔《くや》しさを晴らすべく、桐嶋のウエストを緩めて、下着の中に手を突っ込んだ。

躊躇《ためら》うことなく昂ぶりを握り込むと、桐嶋は小さく息を呑《の》んだ。望んだ反応を引き出せた横澤は、ようやく口元に笑《え》みを浮《う》かべる。

「あんたもずいぶん敏感《びんかん》じゃねーか」

「意外に大胆《だいたん》だな」

「初心《うぶ》なのが好みなら、余所《よそ》を当たれ」

「お前ほど純情なのは、そういないだろ」

「その無駄口《むだぐち》が叩《たた》けないようにしてやるよ」

言葉どおりに黙《だま》らせるために、絡《から》めた指を動かした。先端《せんたん》を指で抉《えぐ》ると、すでにそこは潤《うる》み始めていた。

「まどろっこしいな」

腰を寄せられ、昂ぶりを重ね合わせられた。触れた部分から上昇《じょうしょう》した体温と早鐘《はやがね》を打つ鼓動《こどう》が伝わってくる。

「おい、何勝手に――」

「このほうが手っ取り早いだろ」

強引に握らされ、一緒に手を動かされる。この期《ご》に及《およ》んで拒《こば》むのも、往生際《おうじょうぎわ》が悪い。

今日のところは我慢《がまん》してやるしかないと、自分に云《い》い聞かせ、代わりに桐嶋への愛撫《あいぶ》に集中する。こうなったら、絶対に先にイカせてやる。

「はっ……ぁ……」

「すげぇガチガチだな」

「あんたのもな」

吐息《といき》がかかるほど、顔が近い。薄《うす》く開いた唇《くちびる》から、目が離《はな》せなくなった。口づけてしまいたい衝動《しょうどう》に駆《か》られたけれど、それが簡単にできるような性格なら悩《なや》んだりしない。唇を舐《な》めて濡らし、自分をごまかしていたら桐嶋が唸《うな》るように告げた。

「……誘《さそ》ってんのか？」

「へ？　あ、いや、そういうわけじゃ」

桐嶋の指摘《してき》で思わせぶりな動作をしてしまったことに気づき、恥《は》ずかしくなる。

「無意識に可愛《かわい》い顔すんなよ」

「可愛いって云うな――――ン……っ」

反論を飲み込まれるように、唇を塞《ふさ》がれる。柔《やわ》らかく強引な感触に小さく息を呑んだ横澤の口腔《こうこう》に、熱く濡れた舌が押し入ってきた。

そして、思わず引きかけた横澤のそれを搦《から》め捕《と》り、痺《しび》れるほどに吸い上げてくる。やはり、桐嶋はキスが上手《うま》い。まさに犯《おか》されているという感覚になる。

舌を吸い上げられるだけで体の芯《しん》が蕩《とろ》け、粘膜《ねんまく》を舐め回されては全身が熱くなる。執拗《しつよう》にまさぐられている昂ぶりは一層敏感に反応し、乱れる呼吸も押し殺せない。

「ぅ、ん……」

いまにも飛んでいってしまいそうになる理性を、意地で引き止める。一瞬《いっしゅん》でも気を抜《ぬ》けば、その瞬間《しゅんかん》に達してしまいそうだった。

やがて、口づけを解いた桐嶋が、少し不安そうな顔で訊《き》いてきた。

「……嫌《いや》だったか？」

もしかしたら、横澤が苦虫《にがむし》を噛《か》み潰《つぶ》したような渋面《じゅうめん》を浮かべていたからかもしれない。質問に対し、珍《めずら》しく素直《すなお》な気持ちを口にした。

「ムカつくけど、嫌じゃない」

不快感を抱きもしない自分に腹が立つ。

「なら、よかった」

ふ、と緩《ゆる》んだ口元に一瞬見蕩《いっしゅんみと》れた隙《すき》に、また唇を奪《うば》われる。嫌ではないけれど、桐嶋のキスは力が抜けて困る。荒々《あらあら》しさはないのに、何故《なぜ》か抗《あらが》えない。

「ン、ぅ……ん⁉」

キスに意識を取られている間に、桐嶋の手が後方へと回っていた。足の間を探《さぐ》られ、窄《すぼ》まりに指先が触れている。首を振《ふ》って唇を解き、文句を云う。

「おい、こら、どこ触《さわ》ってんだ……っ」

「手ぇ止めるなよ」

「人の話を聞け……っあ、く……」

強引に指を突《つ》き立てられた。ベビーオイルのぬめりはあるものの、キツいことには変わりない。衝撃《しょうげき》に思わず上擦《うわず》った声が上がり、横澤は咄嗟《とっさ》に歯を食《く》い縛《しば》る。

「や……め……っ」

「そんなに嫌なのか？」

「そこ弄《いじ》られんのは好きじゃねぇんだよ……」

触れられたことがないわけではない。けれど、自分がどうしようもなく無防備になったかのような感覚に陥《おちい》るのが嫌なのだ。

「お前、まさか初めてじゃないだろうな？」

「……ノーコメント」

桐嶋に自分の過去を想像されたくはないし、桐嶋の過去を掘《ほ》り返す気もない。まったく気にならないと云えば嘘《うそ》になるけれど、横澤は自分自身の嫉妬《しっと》心の強さを知っている。

「まあいい。初めてだろうとなかろうと、やることに変わりはない」

「だったら訊くな！」

「初めてなら、ちょっとは優《やさ》しくしてやろうかと思ったんだよ」

「はっ、嘘臭《うそくせ》ぇ」

「そんな態度取ってるってことはイジメて欲しいのか？」

「い……っ！」

ぐっと指を奥に押し込まれ、まだ狭《せま》いそこを無理矢理《むりやり》押し拡《ひろ》げられる。普段《ふだん》は不器用な指が、嘘みたいに巧みに動く。リンゴすらまともに剝《む》けない手が、自分を翻弄しているのかと思うと無性《むしょう》に悔しかった。

「どうした？　もう憎《にく》まれ口を叩く余裕《よゆう》もないか」

「うる……せえ……っ」

遠慮《えんりょ》のない指の動きに息を詰《つ》める。抜き差しされる指の形が、粘膜から生々しく伝わってくる。途中《とちゅう》、何度もオイルを足され、指が増やされた。

「はっ……」

体内を掻《か》き回されるたびに、くちくちと卑猥《ひわい》な音が立つ。耳を塞ぎたい気分になっても、横澤の手はすでに塞がっている。気を逸《そ》らすために性器に絡ませた指を上下に滑《すべ》らせるけれど、集中することはできなかった。

「……もういい」

「何て云った？」

「耳遠くなるほど爺《じじい》じゃねーだろ……早くしろっつったんだよ」

このままでは確実に、先に果ててしまう。そうなるくらいなら、頭が沸《わ》いているいまのうちに、さっさとすませてしまいたい。

「どうせなら、もっと色っぽく誘えよな」

「すんのかしないのかはっきりしろ。俺があんたに突っ込んでやってもいいんだぞ」

「お前がしたいって云うんならかまわないが、今日のところは俺にやらせろ。どうせなら、お前の中でイキたい」

「……ッ」

掠《かす》れた低声で囁《ささや》かれ、鼓膜《こまく》が痺れる。桐嶋はどれだけ手管を隠《かく》し持っているのか、計り知れない。横澤の無言を了承《りょうしょう》と取ったのか、後ろを弄っていた指を引き抜き、ズボンや下着も剝《は》ぎ取ってきた。問答無用で足を開かされる屈辱《くつじょく》に堪《た》え忍《しの》ぶ。

「悪い、今日はゴムないけどいいよな」

「はあ？　いいわけな——いっ……！」

桐嶋は横澤の返事を待たず、自身を沈《しず》み込ませてきた。体を無理矢理押し開かれる痛みと違《い》和《わ》感《かん》に歯を食い縛った。

「く……う、……っあ！」

奥をキツく突き上げられ、言葉にできないほどの衝撃が背筋を駆け上がっていく。そのあとに残ったのは、引き攣《つ》れるような痛みと激しい圧迫感《あっぱくかん》だった。横澤を貫《つらぬ》いた屹立《きつりつ》は、体の内側でドクドクと脈打っている。

「大丈夫《だいじょうぶ》か？」

気遣《きづか》わしげな表情で見下ろしてくる桐嶋を睨《にら》み返して云った。

「なわけ、ねーだろ……っ、つか、中に出したら殺す…！」

「そんな涙目《なみだめ》で云われても迫力《はくりょく》ないぞ」

体の固さが災いし、体重をかけられている股関節《こかんせつ》が軋《きし》む。桐嶋に触《ふ》れられている場所全《すべ》てがじんじんと疼《うず》き、鋭敏《えいびん》になった肌《はだ》は刺激《しげき》を欲《ほっ》して燻《くすぶ》っている。

「野暮《やぼ》なことを訊くが……高野とはどうしてたんだ？」

「ノーコメントだ」

息を切らしながら、返答を拒絶《きょぜつ》する。それこそ、絶対に想像されたくない。

「どっちでもいいか。お前らどっちもネコっぽいもんなぁ」

「そりゃ、あんたからしたら誰《だれ》だってそうだろうよ……」

強面《こわもて》の横澤のことが可愛く見えるのなら、どんな人間だって可愛らしいに決まっている。

「見た目じゃなくて、中身のことを云《い》ってんだよ。それとも、あれか？　俺が抱《だ》かれてもいいほど男前だって云いたいのか？」

「誰も褒《ほ》めてねえ！」

桐嶋の軽口に吠《ほ》え返す。バカなことを云っているくらいなら、こんなことさっさと終わらせてもらいたい。

「そんな大声出す元気があるなら、遠慮しなくていいよな」

「遠慮なんか始めっから――……っあ！」

深い場所を強く突かれ、びくりと体が撓《しな》った。堪《こら》えきれずに掠れた声を上げた横澤の体を、桐嶋は乱暴に揺《ゆ》すってくる。

荒々しく抜《ぬ》き差しされる切っ先が、粘膜《ねんまく》を酷《ひど》く擦り上げる。慌《あわ》てて声を噛み殺したけれど、律動に合わせて喉《のど》の奥が鳴るのを抑《おさ》えることはできなかった。

「う、ぁ……っ」

「もっと声出せよ」

「誰、が……っ」

「そうやって耐《た》えてる顔も堪《たま》んねぇけどな」

桐嶋は低く笑いながら、仰け反る横澤の喉を舐《な》め上げる。舌の感触《かんしょく》にぞくぞくと背筋がおののき、昂《たか》ぶりを飲み込んだ場所を締《し》めつけてしまう。

執拗《しつよう》に穿《うが》たれる内壁《ないへき》が、ひくひくと痙攣《けいれん》する。強引《ごういん》に与《あた》えられる愉悦《ゆえつ》に攫《さら》われそうになるたびに、唇《くちびる》を噛んで耐えた。

「はっ……あ…ッ」

せめて矜持《きょうじ》は保ちたい。快感に溺《おぼ》れてみっともない姿を晒《さら》さないようにと、理性を手放さずにいたけれど、もう限界だった。熱を漲《みなぎ》らせ、はち切れそうなほど質量を増した欲望《よくぼう》に体内を掻き回され、頭の中が霞《かすみ》がかっていく。

「まずい、持ってかれそうだ」

激しさを増していく律動に、感覚がついていかない。繋《つな》がった場所はとっくに蕩《とろ》け、圧迫感を覚えていたことさえ嘘のようだ。

「あ、ぁ、あ……っ」

奥を深く抉《えぐ》られ、目の前で何かがチカチカと明滅《めいめつ》した。ほんの数秒、飛んでいた意識が戻《もど》ってきたかと思うと、横澤は自身を震《ふる》わせ、欲望を爆《は》ぜさせていた。絶頂の衝動《しょうどう》に、思わず自らを追い詰めた欲望をキツく締めつける。

「……ッ、く……」

桐嶋は息を呑むと同時に、自身を大きく震わせた。体の内側から伝わる感覚と、その表情から達したことを知る。中には出すなと忠告しておいたはずだ。

「……桐嶋さん、あんた……」

「悪い悪い、間に合わなかった」

しれっと謝ってきたけれど、その言葉はずいぶんと軽かった。悪いだなんてこれっぽっちも思っていなさそうな桐嶋を睨めつける。

「覚悟《かくご》はできてんだろうな……」

「わかってるよ、責任は取るって。けど、どうせならもう一回したあとで頼《たの》む」

「なっ……いっぺん死ね……!」

殺意を込めた視線で睨みつけるが、桐嶋に堪《こた》えた様子はなかった。

「だから、それはあとでな」

「ん───」

キスで唇を塞《ふさ》がれ、憎まれ口が叩《たた》けなくなってしまった。

どう足掻《あが》こうと、いまは確実に分が悪い。あとで覚えてろよと胸の内で呟《つぶや》きながら、諦《あきら》めの境地で体を弛緩《しかん》させた。


シャワーから上がると、桐嶋は食卓《しょくたく》でまた缶《かん》ビールを開けていた。

「冷蔵庫にビール冷えてるぞ」

「俺が買ってきたやつだろ、それ」

傍《はた》から聞けば気の利《き》いた言葉かもしれないが、ろくに冷蔵庫の中身を把握《はあく》していない人間に云われると、微妙《びみょう》に腹が立つ。

「さて、俺もシャワー浴びてくるかな」

「さっさと行ってこい」

夏でもないのに、昼間からシャワーを浴びた云い訳を日和にしなければならないかと思うと、本当に憂鬱《ゆううつ》だ。言葉を話さないソラ太の視線すら、いまは気まずくて堪《たま》らなかった。

ビールの残りを飲み干し、立ち上がった桐嶋に問いかける。

「ところで、恥《は》ずかしい写真って何なんだよ。そんなもの本当にあるのか？」

横澤自身も忘れかけていたけれど、そういえば、最初は写真で脅《おど》されていたのだった。それもきっと横澤に気負わせないための手段だったのだろう。

しかし、その写真が本当にあるのかどうかだけは、確認《かくにん》しておかなければならない。

「ああ、あれか。見るか？」

「あるのかよ！」

「うっかり消さないように保護してあるんだが……あったあった、ほらこれ」

桐嶋は携帯《けいたい》電話を操作し、しばらくして目的のものを発見したようだった。こちらに向けられた画面に表示された写真に目を凝《こ》らす。

そこに写っていたのは、安らかに眠《ねむ》る横澤の寝顔《ねがお》だった。目元が赤いのは酔《よ》っているせいなのか、それとも泣き疲《つか》れたためか。もっとあられもない姿を写されていたと思い込んでいた横澤は拍子抜《ひょうしぬ》けしたあと、怒《いか》りがふつふつと込み上げてくる。

「てめー！　こんな写真で人のこと脅してたのかよ!?」

「充分恥《じゅうぶんは》ずかしいだろ。泣き疲れて寝《ね》ちまうなんて、日和でももうやらないぞ」

「ぐ……」

それはたしかにそうだ。あのエプロン姿とどちらが恥ずかしいかと問われれば、答えるまでもない。

「恥ずかしくないって云うなら、待ち受けにしてもいいか？」

「いいわけねーだろ‼　貸せ！　消してやるから‼」

「嫌《いや》だね」

「肖像権《しょうぞうけん》の侵害《しんがい》で訴《うった》えるぞ！」

「訴えれば？　そうしたら、法廷《ほうてい》で恋人《こいびと》の寝顔があまりに可愛《かわい》くて写真にして残したいという衝動が抑えきれませんでしたって証言してやるよ」

「なっ……」

「このくらいで照れるなんて可愛いな」

「だ、誰が……っ」

云われ慣れていない言葉に赤面すると、さらに追い打ちをかけられた。桐嶋の臆面《おくめん》のなさには、どうやっても勝てそうにない。相手にしないという方法以外、横澤には対抗《たいこう》する術《すべ》はないようだ。

「これから追い追い、慣れさせてやるよ」

「やめろ」

想像するだけでげんなりする。けれど、自らには相応《ふさわ》しくない褒め言葉を桐嶋に云われるのは、本当はそれほど嫌ではなかった。

「遠慮《えんりよ》するな。俺は愛が深いんだ。お前のことは絶対に俺が幸せにしてやるよ」

「本当かよ」

あまりに自信満々に云《い》う桐嶋に、つい笑ってしまう。

「この俺が口にしたことを実行できなかったことがあるか？」

「……俺の記憶《きおく》にある限りはないな」

誰《だれ》しもが大口だと笑ったことを全《すべ》て実現していた丸川屈指《くつし》のヒットメーカーが云うのだから、きっと間違《まちが》いないのだろう。

不安がないわけではないけれど、いままでのように身を削《けず》るように恋《こい》するのではなく、肩肘《かたひじ》を張らず、少しずつ想《おも》いを育てていければいい。

「……それにしても、日和にどんな顔で会えばいいんだ」

夕方になれば、友達の家から帰ってきてしまう。何があったかなど話す気はないけれど、何もなかったかのような態度を取れるか自信がない。

「いままでどおりでいいだろうが」

「あんたは気にならないかもしれないが、俺はそこまで図太くできてないんだよ！」

相手が男だということよりも、桐嶋だということが問題だ。横澤に懐《なつ》いているとは云え、父親と恋仲《こいなか》にあると知れば、娘《むすめ》として複雑な想いを抱《いだ》くに違《ちが》いない。

「大丈夫《だいじょうぶ》だ。俺の子なんだから、偏見《へんけん》なんて持ってない」

「おい！　日和には絶対にバラすなよ⁉」

不穏《ふおん》な発言に、思わず血相を変える。偏見があるとかないの問題ではない。もちろん、いつかは話すべきだとは思うけれど、それがいまである必要はないはずだ。

横澤が胸《むな》ぐらを掴《つか》んで詰《つ》め寄ると、桐嶋は企《たくら》んでいるような笑《え》みになった。

「それはお前の心がけ次第《しだい》だな」

「また脅す気かよ！」

「それは違う。お前で遊んでるだけ」

真顔で訂正《ていせい》された内容も、ろくでもないものだった。

「ひゃっぺん死んでこい！」

真面目《まじめ》に相手していられず、引き寄せていた胸ぐらを突《つ》き放す。桐嶋はムキになる横澤を見ながら肩《かた》を震わせている。

自分は間違えた選択《せんたく》をしてしまったのではないだろうか。一抹《いちまつ》の不安を覚えつつ、笑いの発《ほっ》作《さ》の治まらない桐嶋を横目に、ため息をついた。

セカイイチハツコイ

久々《ひさびさ》に仕事《しごと》が早《はや》く終《お》わったので帰宅中《きたくちゅう》の所《ところ》
桐嶋《きりしま》さんから
ひよを迎《むか》えに行《い》け？
世界一初恋
セカイイチハツコイ
～横澤隆史の場合～
ComicSide
何《なん》で俺《おれ》が
悪《わる》い
何《なん》か学校《がっこう》の周辺《しゅうへん》で変質者《へんしつしゃ》が出《で》たとかで保護者《ほごしゃ》を迎《むか》えに来《こ》させてるみてーで
早《はや》く行《い》けよ
行《い》きたいんだが今日《きょう》最終校了《さいしゅうこうりょう》でもう少《すこ》しかかるんだ
親《おや》はどうした
二人《ふたり》そろって旅行中《りょこうちゅう》なんだよ
悪《わる》い 他《ほか》に頼《たの》めるのお前《まえ》しかいなくて
学校《がっこう》には言《い》っとくからじゃよろしく！
え!?
オイ 俺《おれ》の都合《つごう》はどーなるんだ
……

ぶはっはっはっはっはっ
アンタちゃんと学校《がっこう》に言《い》っとくっつっただろーが!!
ははは
悪《わる》い悪《わる》い マジバタバタしててさ
ダン!!
おかげで誘拐犯扱《ゆうかいはんあつか》いされて会社《かいしゃ》に身元確認《みもとかくにん》って電話《でんわ》されただろーが!
ははは
いや 本当《ほんとう》に悪《わる》かった
でも大丈夫《だいじょうぶ》だ“30代半《だいなか》ば人相《にんそう》の悪《わる》い大柄《おおがら》でいかつい熊《くま》みたいな男《おとこ》が来《き》て”
で すぐにお前《まえ》と分《わ》かった
余計《よけい》なお世話《せわ》だ
ひよも俺《おれ》が怪《あや》しい奴《やつ》じゃないって例《れい》のロクでもない写真《しゃしん》担任《たんにん》に見《み》せるし……
マジか 先生《せんせい》フイただろ
はははは

――あ――
いや
でも
コト
悪《わる》かった
こういうのはちゃんと親《おや》が行《い》かないといけないってのは分《わ》かってる
……………
こっちも帰《かえ》る途中《とちゅう》だったから別《べつ》に構《かま》わねーけど…
仕事《しごと》は大丈夫《だいじょうぶ》なのか？
お陰様《かげさま》で
…………
再婚《さいこん》とか考《かんが》えないのか

再婚《さいこん》してほしい？
え？
あ いや アンタならする気《き》さえあればすぐできるんじゃと思《おも》って
正直《しょうじき》
ひよにとっては母親《ははおや》は必要《ひつよう》になるんじゃないかと思《おも》う

うん
まあ そーだな
お前《まえ》が そーゆーなら 考《かんが》えてみる
あれ?
俺《おれ》何《なん》だ
コト
USABEER
生
とりあえず 今日《きょう》は ありがとう
自分《じぶん》で 振《ふ》っといて
言《い》うんじゃ なかったと
思《おも》って しまった

あれから一週間《いっしゅうかん》
が——
ここの所《とこ》ずっと桐嶋《きりしま》さんからは何《なん》の連絡《れんらく》もない
おはよー
おはよー
連絡《れんらく》はないが余計《よけい》な噂話《うわさばなし》は入《はい》ってくる
桐嶋《きりしま》さんて思《おも》ってたより優《やさ》しい人《ひと》だねー
たのしかったー♡
また飲《の》みに連《つ》れてってくんないかなー
発見《はっけん》したんだけど結婚指輪《けっこんゆびわ》結構前《けっこうまえ》から外《はず》してるよね
ウソマジ!?
離婚したの!?
えっ!?ウソ マジ狙っていーのかな!?
毎日毎日《まいにちまいにち》女共《おんなども》を引《ひ》き連《つ》れて飲《の》み会《かい》をしているらしい
いや
モテるのは知《し》ってたけどさ

なんだかな……
ピ
あ
待《ま》て
乗《の》る
乗《の》る
げ
オッス
春ワンピ
カワイイ!
おはよっス
何《なん》かお前《まえ》と話《はな》すの久《ひさ》しぶりだな——
そーですね
桐嶋《きりしま》さん飲《の》み歩《ある》いていて忙《いそが》しいみたいですし
あ
何《なに》を言《い》ってんだ俺《おれ》は
この一週間《いっしゅうかん》飲《の》み歩《ある》いてたなー
ああ
本当《ほんとう》だったのか
あ——そーですか

はい
え?
何《なに》?
春ワンピ
鍵《かぎ》
そんなもん見《み》れば
ウチの鍵《かぎ》
お前《まえ》に言《い》われてムカついたから
この一週間《いっしゅうかん》ひよの為《ため》に母親《ははおや》探《さが》そうとしてたんだが
何《なん》かイマイチピンとこねーのな
おい何《なん》だよそれ
で
唯一《ゆいいつ》ピンときたのが

横澤《よこざわ》
お前《まえ》
は？
俺《おれ》ももちろん お前《まえ》の事《こと》 好《す》きだし
仕事《しごと》も好《す》きだし
まあ 一緒《いっしょ》に住《す》むのは 無理《むり》だろーが
は？
とりあえず 通《かよ》う位《くらい》は できるだろ
何《なん》だ それ
何《なに》って

プロポーズ
とりあえず今晩《こんばん》来《こ》いよ
ひよにも言《い》っといてるから
ちょ
ちょっと
おい!!
何《なん》だ?

〔世界一初恋〜横澤隆史の場合〜★END〕

今日は！初めまして
中村春菊と申します。
このたびは「世界一初恋～横澤隆史の場合～」を手に取って頂きありがとうございました！
まさか横澤をカラーで描く日が来るとは思っておりませんでした…
これもみなさまのおかげです
ありがとうございます!!

藤崎先生もいつもいつもありがとうございました!!感謝です！

横澤はコミックス「世界一初恋～小野寺律の場合～」にも登場しております。
1～6巻を読まれた後に今回の文庫を読んで頂けると更に楽しい事になるのではないかと思います…うふふ…

御意見御感想等ございましたらお知らせ頂ければ嬉しいです…!!

では!! 2011 ナカムラ

近況：無農薬野菜をかってダンボールをあけたらモンシロチョウがでてきました…しかも2匹…
おつかれさまっス!!

あとがき

初めての方もそうでない方もこんにちは、藤崎都です。

今年の夏は本当に暑い日ばかりですが、皆様《みなさま》、体調など崩《くず》されてませんか？　厳しい暑さに体が休まる暇《ひま》もないですよね。

私はこの本が出る頃《ころ》には過ごしやすくなっているはず……！　と思いながら、バテつつ日々過ごしています。


このたびは『世界一初恋～横澤隆史の場合～』をお手に取って下さいまして、ありがとうございました。今回は何と、丸川書店の営業部所属の横澤が主役となっております！

お相手は、雑誌ジャプンの桐嶋禅編集長です。

ご存じだった読者さんもいらっしゃるかと思いますが、桐嶋は「純情ロマンチカ」に登場しているキャラクターで、作中作「ザ・漢」の作者である伊集院先生の担当でもあります。

横澤のようなキャラクターは、私の引き出しの中にはいないタイプだったので、原稿《げんこう》を書いている間、横澤のことばかり考えていました。こんなに朝から晩まで、書いているキャラクターのことを考えていたのは初めてです（苦笑）。

それから、ソラ太を書くのも難しかったです。

私自身ずっと犬を飼っていて、猫《ねこ》と暮らしたことはなかったので、猫を飼っている友達に色々教えてもらったり、インターネットで猫動画を見たりしながら書きましたが――動画の猫は個性たっぷりで、どういう子がスタンダードな猫なのか、余計に混乱したりもしました（笑）。


そんなこんなで、四苦八苦しながら書き上げることができた本作ですが、皆様に少しでも楽しんでいただけたのでしたら嬉《うれ》しく思います。

ちなみに本作の時系列は、中村春菊先生のコミックス『世界一初恋～小野寺律の場合6～』の後となっておりますので、ぜひコミックスもチェックして下さいね！


また今回、私のほうでも本作より三ヶ月連続刊行をさせていただくことになりました。その記念に帯に「初回限定特典」と記載《きさい》されている新刊にのみ特典が挟《はさ》み込まれます。

本作の帯に「初回限定特典」と記載があるものには、中村春菊先生描《か》き下ろしの「横澤隆史名刺《めいし》」が特典として挟み込まれていたかと思いますが、この後の二作品には書き下ろしショートストーリー（小説）が特典として文庫に挟み込まれる予定です。

■二〇一一年十二月一日発売予定『こんな俺に誰がした！』イラスト／陸裕千景子先生
初回限定特典★ショートストーリーペーパー「世界一初恋～横澤隆史の場合～前編」
■二〇一二年一月一日発売予定『俺のそばから離れるな！』イラスト／陸裕千景子先生
初回限定特典★ショートストーリーペーパー「世界一初恋～横澤隆史の場合～後編」
（二〇一一年十一月現在の情報です）

こちらの二作は私の新シリーズになります。トラブル体質や不幸体質な主人公の話になる予定ですので、よろしければご覧になってみて下さいね！

最後になりましたが、中村先生、今回も素敵《すてき》な表紙と挿絵《さしえ》をありがとうございました！　横澤はもちろん、桐嶋がカッコよくて惚《ほ》れ惚《ぼ》れしました！

担当様にもお世話になりました。かなり忙《いそが》しいようですが、たまには休んで下さいね。

そして、ここまでおつき合い下さいました皆様、本当にありがとうございました！

お手紙を下さった方にもお礼申し上げます。なかなかお返事が書けず心苦しいのですが、全部大事に読ませていただいています!!

感想の言葉が、何よりの励《はげ》みになっていますので、もしよろしければ一言でも感想などお聞かせいただけると嬉しいです！

それでは、またいつか貴方《あなた》にお会いすることができますように♡

二〇一一年九月

藤崎　都

KADOKAWA
RUBY BUNKO

世《せ》界《かい》一《いち》初《はつ》恋《こい》
~横澤隆史《よこざわたかふみ》の場合《ばあい》~

藤崎《ふじさき》　都《みやこ》　原作／中村春菊《なかむらしゆんぎく》

角川ルビー文庫　R78-48　17100

平成23年11月1日　初版発行

発行者――井上伸一郎
発行所――株式会社角川書店
東京都千代田区富士見2-13-3
電話/編集(03)3238-8697
〒102-8078
発売元――株式会社角川グループパブリッシング
東京都千代田区富士見2-13-3
電話/営業(03)3238-8521
〒102-8177
http://www.kadokawa.co.jp
印刷所――旭印刷　製本所――BBC
装幀者――鈴木洋介

ISBN978-4-04-100046-5　C0193　定価はカバーに明記してあります。

ASUKA COMICS CL-DX
中村春菊
Shungiku Nakamura
初恋なんて、叶わないモノ。
——そんなの、誰が言ったわけ？
大人気コラボ♥
コミックス
大好評発売中!
やり手編集長×勝ち気な新米編集者が贈る
編集者が青ざめるほどちょこっとリアルな
出版業界ラブ!
小野寺律の場合
世界一初恋
セカイイチハツコイ
訳あって丸川書店に転職した小野寺律。
傲慢不遜なやり手編集長・高野政宗との因縁が発覚し…!?

小説 藤崎都
Miyako Fujisaki
原作&まんが 中村春菊
Shungiku Nakamura
漫画みたいな恋なんてありえない。
――ずっとそう思っていたのに!!
中村春菊 描き下ろし漫画26Pつき!!
噂のコミコボが登場です♥
幼なじみの編集者×少女漫画家の
人生かけた☆ラブ・バトル
吉野千秋の場合
世界一初恋
セカイイチハツコイ

藤崎都
Miyako Fujisaki
イラスト
陸裕千景子
誰かにいつか食われるくらいなら、
俺が先に食ってやる――――…。
野蛮な漫画家×魔性のアシスタントのドキドキ業界ラブ！
青年漫画家の恋
The love of the young man cartoonist
売れっ子青年漫画家の加賀のもとでアシスタントをしている
大学生の七紀には、ある秘密があって…!?
ルビー文庫

藤崎都
イラスト 陸裕千景子
Miyako Fujisaki
ごめん、俺落第かも。
――先にいれさせて。
一途な小説家×強気な編集者の出版業界ラブ!!
恋愛小説家の恋
The love of a novelist
倒産秒読みの出版社の編集者・秋本がダメもとで
執筆依頼をしたのは、売れっ子小説家・蒼井まこと。
ところが蒼井の正体が大学時代の恋人・松永だとわかり…!?

御曹司×パティシエで贈る
美味しくて甘くてエロい(!?)
ラブ・レシピが登場!
——いい体してると思ってな。
さすがパティシエだ。
美味しいカラダ
藤崎都
Oishii Karada ★ Miyako Fujisaki
イラスト
陸裕千景子
パティシエの麻倉佳久のもとに突然持ちかけられた百貨店への出店依頼。
訳あって断ったものの、その百貨店の御曹司で社員の真田隼人に
店の閉店の危機を助けてもらってしまい…?

ルビー文庫

「俺に責任、取らせてください！」
——って、デキる男が土下座すんな！
藤崎都
MIYAKO FUJISAKI
イラスト 水名瀬雅良
デキる部下×意地っ張り上司が贈る片想いラブ♥
部下のくせに生意気だ！
高校時代の片想いの相手である東海林が部下として配属されてきてしまい、
居心地の悪い四宮。ところが酔った東海林に押し倒されてしまって…!?

ルビー文庫

もう一回って…いい加減にしろ！
それ以上やったら、逮捕するぞ!?
藤崎都
MIYAKO FUJISAKI
イラスト 水名瀬雅良
弟のくせに生意気だ！
生意気な義弟×往生際最悪な兄が贈るハイテンション・ラブ!!
交番勤務の警察官である湊は留学から帰国した義弟の孝平にアパートの床に押し倒されていた。「約束を守れ」と言う孝平に抵抗してみるけれど…!?

ぜんぶはじめて
藤崎都&桜城ややで贈る
イジワルエロ(!?)医師×童貞リーマンの
初めてだらけなラブ・レッスン!?
全部、俺が教えてやるよ。
——手取り足取り、腰取り、な？
藤崎都
イラスト
桜城やや
医務室の臨時医師である松前に、彼女との
初Hに失敗したことを知られてしまった
童貞の上総。そのうえ「俺が診てやろうか？」
なんて言いだした松前から、うっかり脱童貞の
心得を学ぶハメになって…？

ルビー文庫

もっとはめて
思っていた以上に適性があるみたいだな。
――それとも、俺と相性がいいのか？
サド気質なカメラマン×M属性な配達ドライバーの
初めてだらけなラブ・レッスン!?
藤崎都
イラスト 桜城やや
有名写真家・千石への届け物を
破損させてしまった配達ドライバーの基樹。
代償に求められたものは…？